아직 오이는 먹지 않아요

용진

KB084225

비로소,

마침내.

들어가며

    한 손에 실내화 가방을 들고 다닐 때만 해도 대학생, 군인만 보면 어른이라 생각했다. 그들이 꾸벅 인사하는 어른을 볼 때면, 나는 언제쯤 저 어른들의 어른이 될 수 있을까 또 생각했다. 까마득해 어른거려 보이지 않는 그때를 지나 오늘이 되었다. 실내화 가방을 터덜터덜 들고 다니던 때를 지나, 학교 안에 매점이 있다는 사실에 설레던 때를 지나, 이른 아침부터 늦은 밤까지 교실에 앉아 있어야만 했던 때를 지나, 오늘이 되었다.

　이제 더는 실내화를 들고 다니지 않는다. 이
제 더는 학교 매점 앞을 서성이는 일진 무리를
피해 다니지 않아도 된다. 이제 더는 불편한 교
복을 입고 자그마한 책상 앞에 앉아 있지 않아
도 된다. 어쩌면 나도 그때 보았던 대학생과 군
인들이 꾸벅 인사하는 어른들의 어른이 되었는
지 모른다. 많진 않지만 (사실, 너무 작고 귀여
워 살짝 건들기라도 하면 바스라질까 겁날 정도
로 적지만) 돈이라는 걸 벌고 있으니 어른일지
도 모른다. 하지만, 나는 안다. 나는 아직 어른
이 아니다.

나는 아직 오이를 먹지 않는다.

　어딘가 모르게 비릿하고 쿰쿰한 냄새를 풍기
는 오이를. 나는 아직 먹지 않는다. 어렸을 적
닭갈빗집에 가면 항상 오이와 당근이 길게 썰려
나왔다. 어른들은 그 기다랗고 기이하게 생긴

오이를 고추장에 푹 찍어 입에 넣었다. 아니 어떻게 한입 베어 물면 물이 줄줄 나오는 오이를 그리 맛있게 먹을 수 있을까. 게다가 고추장에 푹 찍어서! 오이에서 나온 물과 고추장이 한데 섞여 입안을 가득 메우는 상상이라도 할라치면, 온몸에 소름이 돋는다. 그건 해서는 안 될 행동이다.

　오이. 받침도 없이 이응 두 개와 모음 두 개로 이루어진 모양새도 마음에 들지 않는다. 불완전해 보이는데 묘하게 안정적으로 보이는 게 더 싫다. 놀리는 것 같달까. 어른들은 뭐가 그리 좋다고 오이를 얇게 썰어 얼굴에 붙이는 걸까. 왜 오이로 비누까지 만들어 쓰는 걸까. 왜 글씨체까지 만들어 쓰는 걸까.

　나는 아직 오이를 먹지 않는다. 얼굴에 오이를 붙이지도 않는다. 오이 비누, 오이체. 모두 쓰지 않는다. 그래서 나는 아직 어른이 아니다. 언제가 될지는 모른다. 그 언제가 찾아오지 않을 수도 있다. 그래도 만약. 혹시. 먼 미래에 내가 오이를 받아들인다면, 만약 그런 때가 온다면 그제야 비로소 나는 어른이 되었다 할 수 있다.

어른이 되기 전. 마음속 이곳저곳을 떠다니는 고민과 생각을 적었다. 물론 정답은 없다. 정답이 무엇인지도 모른다. 둥둥 떠다니는 나의 고민과 생각일 뿐이다. 만약 어른이 되는 길목에서 있는 당신도 둥둥 떠다니는 고민과 생각에 요동치고 있다면. 만약 그렇다면. 나와 함께 두둥실 떠다니면 좋겠다. 때때로 혼자 떠나는 길은 외롭다. 두렵고, 무섭다. 다른 사람들은 흔들림 없이 가는 길도 왜 내가 가면 우당탕탕 흙길일까 싶다. 길을 잘못 든 건 아닐까. 다시 돌아가야 하는 것 아닐까 싶다.

그럴 때 당신과 함께하고 싶다. 나의 두둥실과 당신의 두둥실이 만나 뭉게뭉게 구름이 될지 모른다. 그리고 구름이 비를 내려 마른 땅에 단비가 될지 모른다. 단비를 맞은 땅에 새싹이 나고,

새싹이 자라 든든한 나무가 될지 모른다. 단비
가 될 준비를 천천히, 그리고 꾸준히 함께하고
싶다.

당신과 함께.

목차

나에게 행복은

행복은 무엇일까 생각한다. 많은 돈을 가지면 행복한 걸까. 큰 집에 살면 행복한 걸까. 아니야. 너무 진부해. 사실 많은 돈을 가지더라도, 큰 집에 살아도 행복하지 않을 수 있다는 건 이미 알고 있다. 그럼, 행복은 뭘까. 어떻게 하면 행복할 수 있을까. 어떻게 하면 행복을 누릴 수 있을까. 예전에 어떤 아침 방송에서 한 박사님이 한 이야기가 생각난다. '행복'이라는 단어가 만들어지기 전에 '기쁨'이나 '즐거움'이라는 단어가 먼저 만들어졌다고. 그런데 인간은 지금 충분히 '기쁘고', '즐거운데도', '행복'이라는 단어를 구태여 끌고 와 온전히 기뻐하지 못하고, 즐거워하지 못한다고.

사실 이 말이 진짜 맞는 말인지 확인하진 않았다. 그런데 확인하고 싶지 않다. 믿고 싶다. 잠결에 흘려들은 이 말이 사실이 아니더라도 사실이라 믿고 싶다. 지금 느끼는 이 기쁨과 즐거움을 온전히 오롯이 충만하게 느끼고 싶다. 난 이미 충분히 행복한 사람이라는 걸 외면하고 싶지 않다.

그리고 이 충만한 행복을 누릴 수 있게 해 준 일곱 명의 존재에 참 감사하다. 오늘 날씨는 이곳이 한국이 맞나 싶을 정도로 하늘에서 물 폭탄이 쏟아졌다. 평소라면 충분히 걸었을 거리도, 택시를 타고 이동할 정도였으니 말 다 했다. 바람도 얼마나 불던지. 때로는 비가 가로로 내렸다. 그런 날이었다. 누군가 약속을 취소해도

전혀 이상하지 않은 날이었다. 그런데 약속했던 인원보다 더 많은 분이 와주었다. 무려 일곱 분이나 유명할 것 하나 없는 사람의 이야기를 들으러 와주었다.

물론 '지인이니까 와줄 수 있지.'라고 생각할 수 있다. 하지만 그런 생각은 오늘 날씨를 피부로 겪지 않은 사람만 할 수 있는 생각이다. 만약 나라면? 나라면 이 비를 뚫고 서울 북쪽 끝까지 왔을까? 아마 이런저런 핑계를 대고 너무 가고 싶지만, 오늘은 어려울 것 같다고 했을 것이다. 지인이라고 해서 모든 게 당연한 건 아니다. 오늘 다시 한번 느꼈다. 세상에 당연한 건 정말 없다. 단 하나도 당연하지 않다.

사방팔방에서 흩뿌리는 비에 온몸이 젖어도 웃으며 인사하는 것도. 멀리서부터 조심히 들고 온 꽃다발을 내 손에 쥐여 주는 것도. 하나하나 포장한 간식과 꾹꾹 눌러쓴 손 편지를 전해주는 것도. 묵묵히 응원한다고 속삭여 주는 것도. 무엇을 꼭 주지 않아도 존재만으로 힘이 되어주는 것도. 너무도 당연하지 않다. 내가 이걸 누려도 되는 사람인가. 내가 이들에게 그동안 이만큼 베풀었나. 숨 쉴 때마다 생각한다. 역시 아니다. 나는 너무도 부족했고, 나누지 않았다. 바쁘다는 핑계로 만남을 줄였고. 주머니가 가볍다는 핑계로 베풀지 않았다. 그래서 더 당연하지 않다. 내가 받은 이 관심과 사랑이 너무나도 무겁게 다가온다.

항상 불안했다. 행복한 순간이 다가오면 내가 이 행복을 누려도 될까 불안했다. 좋은 사람이 내게 다가오면 내가 저 사람과 친구가 되어도 될까. 연인이 되어도 될까. 언젠가 떠나가지 않을까 불안했다. 하지만 오늘만큼은. 아니, 오늘부터는 온전히 누리고 싶다. 그리고 온전히 누린 이 행복을 다른 누군가에게 온전히, 그 이상을 나누고 싶다. 그러면 더 행복할 것 같다. 행복해하는 사람의 모습을 얼른 보고 싶다. 나도 누군가에게 꽃다발을 안겨주고 싶고. 나도 누군가에게 꾹꾹 눌러쓴 손 편지를 전해주고 싶고. 나도 누군가에게 존재만으로 힘이 되어주는 사람이 되고 싶다.

이런 마음을 느낄 수 있어서 다행이다. 이런 마음을 전하고 싶어서 기쁘다. 행복은 무엇일까 생각한다. 많은 돈? 큰 집? 물론 이런 것들이 있다면 행복에 가까워질 수 있다. 가져본 적이 없어 잘 모르지만 아마 그럴 것 같긴 하다. 돈 걱정 안 하고, 하고 싶은 걸 맘껏 할 수 있다는 건 상상만으로도 짜릿하니까.

그런데 그것들이 '온전한 행복'은 아니라는 확신이 든다. 적어도 나에게만큼은 그렇다. 나에게 행복은 '사람'이다. 그게 누가 되었든, 몇 명이 되었든 '사람'이 내 곁에 있어 준다는 게 나에겐 행복이다. 그래서 나도 누군가에게 묵묵하고 든든한 하나의 '사람'이 되어주고 싶다. 그럼 혹시 그 사람도 내가 느낀 것처럼 행복해질 수 있지 않을까 하는 기대를 해보며.

다 같이 행복하면 참 좋겠다.

첫 북토크를 마치고.

무너진 관계의 회복
새로운 관계의 시작

시작도 끝도 모르는 숙제가 있다면 관계가 아닐까. 언제부터 우리는 관계를 신경 썼고. 언제까지 우리는 관계를 신경 써야 하는 걸까. 좋은 사람 같아 다가가 자세히 보니 그렇지 않은 경우가 있다. 그 사람에게도 내가 그렇게 보였을까. 그렇지 않길 바라지만, 나는 그 사람이 아니니 어찌할 도리는 물론 없다. 그저 내가 조금이라도 좋은 사람이길 바랄 뿐이다.

관계를 이야기하면 나도 모르게 냉소적으로 생각하고 말하게 된다. 무서워 피하는 걸까. 상처받고 싶지 않은 걸까. 더 이상 관계 때문에 내 삶이 망가지지 않길 바라는 걸까. 어떤 이유가 되었든 관계는 독이자 약이다. 양날의 검도 아니다. 한쪽의 날이 너무나 날카로워 저쪽을 향하기도 무섭고, 이쪽을 향하면 더 무서운 게 관계다.

기대 하게 된다. 무언가 주지 않아도 받고 싶다. 그 사람의 반응을 살피고 표정을 살핀다. 만약 내가 무언가를 주었다면 기대는 몇 배나 더 커진다. 그러면 안 되는 걸 알면서도 그러고 있다. 당연히 내 마음에 쏙 드는 반응과 대가는 없다. 그래서 또 실망하고 실망한다. 그렇게 나의 어두움을 내가 만든다. 밝음을 일부러 피하기라도 하는 양. 더 어두운 곳을 찾아 헤맨다. 철저히 혼자가 된다. 모든 건 내가 자초한 거면서 사람 탓을 하고 세상 탓을 한다. 애석하다. 안타깝다.

혼자인 게 싫다면서 모든 걸 혼자서 해결하려 하고. 손을 건네는 사람은 의심부터 한다. 가끔은 덥석 그 손을 잡아 함께 가도 될 텐데. 뭐가 그리 무서울까. 그 사람이 나쁜 사람일까 봐? 못된 사람일까 봐? 아니다. 그저 내가 기대한 만큼 받지 못할까 봐. 내가 생각하는 것보다 그 사람이 나를 생각하지 않을까 봐. 맞다.

어린아이 같다. 사탕 하나 주면 기뻐하는. 아무리 좋은 물건, 값비싼 물건을 주더라도 어린아이에게는 사탕이 더 값지다. 혀를 굴려 녹여 먹다 어금니를 꽉 깨물어 아그작 아그작 부숴 먹으면 언제 있었냐는 듯 사라지는 설탕 덩어리. 그래도 어린아이에게는 그 설탕 덩어리가 다른 어떤것 보다 값지다. 때로는 나에게도 사탕이 필요하다. 값비싼 무언가. 남들이 부러워하는 무언가가 아니라 그저 내가 녹여 먹기도 하고, 아그작 깨물어 먹기도 할 수 있는 작은 설탕 덩어리가 필요하다.

나는 좋아하는 사람만 만나고 싶다. 내가 좋아
하든 나를 좋아하든. 서로 좋아한다면 더할 나
위 없겠다. 좋아하는 사람과 좋아하는 곳에서
좋아하는 일을 하기에도 짧은 시간이다. 좋아하
지 않는 사람과 좋아하지도 않는 곳에 가 좋아
하지 않는 일을 하기엔 서로의 시간이 너무 아
깝다. 하지만 세상은 복잡하고 다난해서 좋아하
는 사람만 만날 수 있지 않다. 때로는 좋아하지
않는 사람과 하루 종일, 그 이상도 붙어있어야
한다.

그럼 어떻게 해야 할까. 후. 그래. 만약 좋아하
는 사람이 나타난다면 재지 말고, 따지지 말고,
망설이지 말아야겠다. 무너진 관계의 회복과 새
로운 관계의 시작에 유독 서툰 나. 항상 망설
이고 주춤한다. 또다시 상처받지 않을까. 도리
어 내가 상대에게 새로운 생채기를 내지 않을
까. 서로 헐뜯지 않을까. 수많은 걱정과 우려가
똘똘 뭉쳐 겁쟁이가 되고 만다. 그렇게 흘러간
인연이 여럿이다. 흘러가도록 흘려보냈다면 다

행이다. 그렇지 못했다. 하나의 실낱을 붙잡고 있다. 혹시 회복될지 몰라. 서로 이해할지 몰라. 시간이 해결해 줄지 몰라. 모르는 것 투성이를 붙잡는다. 투성이가 뭉치고 뭉쳐 뭉텅이가 되어도 모를 정도로.

양손을 그렇게 붙잡는 데 쓰니 새로움을 맞닥뜨리더라도 잡을 수 없었다. 그래서 이제는 놓아보려 한다. 양손을 비우고 새로움을 잡을 수 있도록. 새로움을 맞이할 수 있도록. 그렇게 새로움이 가득 차도록. 조금은 무섭지만, 그래서 더 가치 있도록.

이미 흘러간 건 흘러가도록. 새로이 흘러오는 건 놓치지 않도록. 녹록지 않겠지만. 그래도.

귓속으로 들어온 이야기

나에게 소설은 어려운 존재다. 다른 장르도 물론 그렇지만 소설은 더더욱 어렵다. 무언가 자세를 딱 잡고 정신을 집중해서 읽어야만 할 것 같은 느낌이 든다. 매번 그렇진 않았겠지만, 처음의 몇 번이 매번 그런 생각을 하게 했다. 그렇게 소설을 멀리했다. 한 사람의 머릿속에서 그려진 세상에 풍덩 빠져 그곳을 헤집고 다니는 것이 무서웠을지도 모른다. 내가 모르는 세상을 겪어야만 한다는 게 두려웠을지도 모른다.

글 하나 읽는 게 뭐가 그리 어렵고 무서울 일이냐 할 수 있겠다만, 때로는 누군가에게 그럴 수도 있다. 그래도 가끔 용기 내어 읽는 소설은 새로운 세상을 볼 수 있게, 느낄 수 있게 해 주었다. 이런 상상을 할 수 있구나. 이전에 보아온 현실을 이렇게 풀어낼 수 있구나. 현실인지 상상인지 모르게 쓴다는 게 이런 거구나. 무릎을 탁! 치며 읽은 적이 한둘이 아니다. 그러다 가끔 소설이 종이를 벗어나 영상으로 만들어졌다는 이야기를 들을 때면 환호를 질렀다. 내가 상상한 그대로 펼쳐질까. 영화를(드라마를) 만든 그 사람도 내가 느낀 그 감정을 동일하게 느끼고, 표현했을까 하며.

그런 적도 있고, 그렇지 않은 적도 있다. 단순하다. 그랬던 적엔 기뻤고, 그렇지 않았던 적엔 아쉬웠다. 슬프진 않았다. 그저 영화를(드라마를) 만든 사람은 다르게 느껴, 다르게 표현했겠거니 생각했다. 그래도 역시 좋은 글은 다 알아보는구나 하며 내심 뿌듯했다.

오늘로부터 딱 일주일 전. 오래된 친구로부터 짧은 한 줄의 메시지가 왔다. '용진아 널 보면 휴남동 서점이 생각난다.'라고. '잘 지내?', '오랜만이야.' 같은 진부하지만, 으레 건네는 인사치레는 각설하고 그가 전하고자 하는 말이 명료하게 전달됐다. 학교를 졸업하고 인스타그램으로 서로의 소식을 접했을 뿐, 따로 연락하거나 만난 적은 없던 친구였다. 그런 친구의 짧은 한 줄이 다른 어떤 안부보다 크게 다가왔다. 나는 그날 바로 〈어서오세요, 휴남동 서점입니다〉를 구매했다.

책을 이렇게 고민 없이 사본 적이 있을까. 좋아하는 작가의 책도, 이리 보고 저리 보며 고민하고 사는 나다. 그런데 이 책은 고민하고 싶지 않았다. 사실, 그 친구가 '용진아 널 보면 칼 세이건의 코스모스가 생각난다.'라고 했더라도, 나는 그 책을 샀을 테다. 그냥 묻고 따지지 않고 샀을 것이다. 오랜 옛날 나의 모습을 아는 한 사람이 그간 지내온 나의 모습을 보아오며 무엇

같다했을 땐 그만한 이유가 있을 테니까. 다행히 코스모스는 아니었고, 많은 사람이(무려 15만 명!) 재미있게 읽었다는 소설이었다.

어떤 점이 나를 생각나게 했을까. 책의 처음부터 끝까지 그 생각을 지울 수 없었다. 서점 주인인 영주가? 커피를 내리는 민준이? 문장 전문가인 승우? 그도 아니면 지미? 민철? 정서? 사실 아직도 잘 모르겠다. 다만, 책의 마지막을 덮은 지금, 나는 이 책을 쓴 작가와 내가 비슷하길 바란다. 그래서 그 친구가 나를 보면 '휴남동 서점'이 떠올랐길 바란다.

작가가 만들어 낸 영주가. 민준이. 승우가. 지미, 민철, 정서, 그 밖에 소중한 인물이 하는 행동과 말을 만들어낸 작가와 같은 사람. 그런 사람이면 참 좋겠다. 아침에 눈을 뜨면 습관적으로 텔레비전을 켜고 24번을 맞추는 내가, 꽤나 큰 결단으로 텔레비전을 끄고, 스탠드 조명을 켜게 되는 것처럼. 하루 종일 서서 일해 지칠 대로 지쳐 집에 돌아오면 샤워하고 침대에 누워 자기 바쁜 내가, 더 큰 결단으로 또다시 스탠드 조명을 켜게 되는 것처럼.

세상엔 너무나도 재미있는 게 많고, 자극적인 게 많지만, 역시 책은 아직 강한 힘이 있다고 믿는 것처럼. 그렇게 생각하게 한 것처럼. 그런 글을 쓰고, 그런 책을 만들고 싶다.

책의 중간중간 무릎만 탁! 치기엔 아까운 부분이 너무나 많다. 작가의 생각과 말이 공감될 때마다 무릎을 쳐야 한다면, 이곳도 치고, 저곳도 치고, 앉았다 일어섰다 수도 없이 반복해야 할지 모른다. 책 속 내용을 모두 공개할 순 없으니, 마지막 작가의 말 중 한 부분을 공유한다.

"그러니까 나는 내가 읽고 싶은 이야기를 쓰고 싶었다. 자기만의 속도와 방향을 찾아가는 사람들의 이야기를, 고민하고 흔들리고 좌절하면서도 자기 자신을 믿고 기다려주는 사람들의

이야기를, 애써 마음을 다잡지 않으면 스스로 나를 포함해 나와 관계된 많은 것을 폄하하게 되는 세상에서 나의 작은 노력과 노동과 꾸준함을 옹호해주는 이야기를, 더 잘해야 한다고 스스로를 다그치느라 일상의 즐거움을 잃어버린 나의 어깨를 따뜻이 안아주는 이야기를."[1]

모든 작가가 동일한 마음으로 글을 쓰는지는 모른다. 다만 내가 생각하는 좋은 글은, 내가 읽고 싶은 글이다. 한 사람이 쓴 글을 모든 사람이 만족하기란 쉽지 않다. 사실 불가능하다. 적어도 몇 사람, 몇몇의 비슷한 생각을 하는 사람이 모여 그 책의 독자가 된다. 독자는 새로운 독자를 만들고 독자와 새로운 독자는 모임을 만들고, 모임이 모여 새로운 이야기가 만들어진다.

우리의 하루는 이야기가 쌓여 만들어진다. 때로는 가볍고 산뜻한 이야기. 때로는 무겁고 축축한 이야기. 수많은 이야기가 켜켜이 쌓여 하루를 만들고, 그 하루들이 또 쌓여 일주일, 한

[1] 황보름. 어서오세요 휴남동 서점입니다. 클레이하우스. 2022.

달, 그리고 일 년을 만든다.

 오늘 나의 이야기는 어땠을까. 산뜻했나? 축축했나? 그도 아니면, 이야기라고 느낄 수 없을 정도로 정신없이 바빴나? 혹 오늘의 이야기를 생각하고 싶지 않다면. 오늘 무슨 이야기가 있었는지 생각나지 않는다면. 기적처럼 다가올 내일을 한번 꿈꿔야겠다. 그리고 만약 내일이 다가온다면, 새로운 오늘이 될 내일을 조금 더 집중해서 들여다보아야겠다.

 나에게 어떤 이야기가 있었는지. 내가 어떤 이야기를 만들었는지. 내가 어떤 이야기를 만들고 싶은지. 깊숙이 듣고, 들여다보아야겠다.

혹시 모른다.
내 귓속으로 들어온 그 이야기들이 글이 될지.

글이 모여 소설이 될지.

그래야 죽이든 밥이든
먹을 수 있다

왜 이렇게까지 열심히 하냐는 말을 들었다.

글쎄 내가 지금 열심히 하고 있는 건지는 잘 모르겠다. 그래도 누군가의 눈에 그렇게 보였다면 조금은 열심히 하는 것 같기도 하다. 열심히 하는 '척'에 질렸다. 벌써 십여 년이 지났지만, 열아홉에 처음 경험한 입시의 실패는 '척' 하는 것의 결과가 얼마나 슬프고 암담한지 알게 했다. 그때 알게 된 '척'의 대가는 꽤 컸다. 불행

중 다행인지는 모르나, 열아홉 이후의 나는 안 했으면 안 했지 '척'하지는 않게 되었다. 이러다 철이 들까 조금은 두렵다.

한때 '대리만족'이라는 말을 많이 썼다.

아~ 부럽다~ 너 거기 놀러 가? 가서 사진 많이 찍어와~ 나 못 가니까 대리만족 좀 하게~. 우와~ 너 이거 새로 샀어? 봐봐 우와~ 멋지다~ 난 이런 거 못 사니까 대리만족이지 뭐~

기쁜 척. 아무렇지 않은 척. 애써 담담한 척하며 남을 부러워한 때가 정말 많았다. 사실 지금은 전혀 그렇지 않다고 말할 수는 없다. 사람은 항상 남과 나를 비교하니까. 그래도 어느 새부터 내가 진정 만족하려면 대리로 얻을 수 있는 건 아무것도 없다는 걸 알게 되었다. 대리만족? 누군가는 시간을 투자하고, 돈을 투자하고, 노력을 들여 얻어낸 그 무엇을 대리로 만족한다? 그것만큼 손쉽게 만족하려는 욕심 가득한 말이 또 어디 있을까.

만약 만족하고 싶다면. 무언가 이루고 싶다면. 내가 생각하고, 내가 행동해야 하지 않을까. 난 이래서 못해. 난 저래서 못해. 그럼, 그 일을 이룬 사람은 이 못과 저 못이 정말 하나도 없어서 그걸 이루었을까. 누구에게나 못은 있다. 그 못이 녹슨 못일 수도, 뭉툭하게 닳은 못일 수도 있다.

난 그 못을 빼낼 도구도 없고, 힘도 없어! 뭘 어쩌란 말이야!라고 이야기할 수 있다. 내가 그랬다. 항상 징징댔고, 누군가에게 힘들다고 이야기하기 바빴다. 빼낼 도구가 없고, 힘이 없을 수 있다. 그럼 그 못을 정말 지켜만 봐야 하는 걸까 다시 생각해본다. 기왕에 박혀 있는 못이라면 그곳에 그림 하나 걸 용기는 왜 내지 않았을까. 그림 살 돈이 없다면 길에 널브러진 작은 나뭇가지 하나 주워 그럴듯하게 걸어 놓을 생각은 왜 하지 않았을까.

가만히 앉아서는 아무것도 할 수 없다는 걸 알았다. 가만히 앉아 누군가 알아서 모든 걸 다 해주는 일은 나 같은 평범한 사람에겐 일어나지 않는다는 걸 알았다. 그래서 치열하게 살고 있다. 뭐라도 되겠지 하며. 일단 닥치는 대로 느끼고, 보고, 만지고, 찾아간다. 뭐라도 돼라 제발 하며.

죽도 밥도 안된다며 외면하기보다는. 죽이 되었으면 고소한 참기름 쪼르륵 뿌리고 간장에 슥슥 비벼먹으면 되지~ 하는 직면. 밥이 되었으면 옳다구나! 하고 고추장 탁! 하고 넣어 계란과 슥슥 비벼 먹는 직면.

일단 뭐라도 하자.
그래야 죽이든 밥이든 먹을 수 있다.

뻔한 일을 뻔하지 않게

피하고 싶은 주제가 있다. 너무 나 같아서. 너무 나를 드러내는 것 같아서. 속까지 훤히 비추는 것 같아서. 그중 한 가지. 나태. 행동, 성격 따위가 느리고 게으름. 느리고 게으르다. 그럼 게으름은 뭘까. 게으름. 행동이 느리고 움직이거나 일하기를 싫어하는 태도나 버릇. 뜻을 바탕으로 나를 찬찬히 돌아본다. 나의 행동이, 나의 성격이 느린가? 음. 난 꽤나 빠르다고 생각하지만, 보기에 따라 느리게 보일 수 있으니 그렇다 치자. 그럼 두 번째. 내가 움직이거나 일하기를 싫어하나?

음음. 가슴이 콕하고 찔린다.

맞다. 난 움직이길 싫어한다. 집이라는 공간에서 움직임을 줄일 수 있다면 줄일 수 있을 때까지 줄인다. 핸드폰도, TV 리모컨도, 에어컨 리모컨도, 모든 게 내 시선과 손끝에 닿을 수 있게 놓는다. 사실 이건 다른 사람도 그렇지 않을까 생각하기도 한다. 구태여 핸드폰과 리모컨을 멀리멀리 두려 노력하는 사람은 없을 테니까. 그래 이건 넘어가자.

집 밖에서 나를 한번 바라본다. 이건 때에 따라 다르다. 내가 가고 싶은 곳이거나, 하고 싶은 일. 함께하고 싶은 사람과 함께 라면 누구보다 빠르게 움직인다. 물론 이때도 에너지 소모를 줄일 수 있다면 최대한 줄인다. 반대의 상황을 생각해 본다. 내가 가고 싶은 곳이 아니거나, 하

고 싶지 않은 일을 할 때. 게다가 함께하고 싶지
않은 사람과 어쩔 수 없이 함께해야 할 때. 이
런 상황은 피할 수 있으면 피하는 게 상책이지
만, 그렇지 못할 때가 있다. 그럴 때는 나의 나
태함이 극에 달한다. 꼭 해야 할 일이란 걸 알지
만, 미루고 또 미룬다. 최대한 미루다 결국 절벽
끝에 다다라서야 '후'하고 한숨 내쉬며 상황과
사람을 마주한다. 어찌어찌 애쓰고 힘쓰다 보면
그 일은 해결되어 있다. 그래 이것도 나만 그런
건 아닐 거라 생각한다. 누가 마주하고 싶지 않
은 사람. 마주치고 싶지 않은 상황에 직면하길
즐길까. 그렇게 합리화해본다.

최악은 이제 시작이다. 내가 가고 싶은 곳. 내
가 하고 싶은 일. 내가 좋아하는 사람과의 일임
에도 불구하고, 불쑥 튀어나오는 나의 나태함.
정말 최최악이다. 차마 이건 합리화하며 그럴
수 있다 넘어갈 수 없다. 누구보다 빠르게 움직
여야 할 내가 왜 누구보다 느리게 생각하고 움
직일까. 이건 나태고 게으름이다. 나태는 하나

만 있을 때보다 하나가 둘이 되고, 둘이 셋이 될 때 그 힘이 더 세진다. 조그마한 나태가 쌓이고 쌓여 무거운 나태가 된 이후엔, 더 이상 후 하고 입바람으로 떨쳐낼 수 없게 되고 만다.

켜켜이 쌓인 나태는 더 이상 앞을 바라볼 수 없게 만든다. 그 뒤에서 우두커니 서 있을 수밖에 없다. 앞으로 나아가고 싶지만, 그 생각이 들 때는 이미 한참 시간이 흐른 후일 때가 많다. 꼭 듣고 싶었던 워크숍을 빈둥대다 신청을 미뤄 듣지 못하게 된다거나. 꼭 가고 싶었던 전시회를 미루고 미루다 (전시 기간이 연장되었음에도) 보지 못하게 된다거나. 이런 경험은 셀 수 없이 많다.

워크숍에 참여를 못하고, 전시회를 가지 못하는 건 괜찮다 넘길 수 있다. 하지만 그렇지 못한 때가 있다. '기회'를 놓쳤을 때. 다시 마주하지 못할 것 같은 기회가 성큼 찾아와 어서 잡으라고 손짓할 때. 망설이고 또 망설이다 놓친 적이

한둘이 아니다. 조금만 시간이 지나면 땅을 치고 후회할 걸 알면서도 회피하고, 외면한다.

'기회'. 어떠한 일을 하는 데 적절한 시기나 경우. 적절한 시기나 경우는 아무 때나 오지 않는다는 걸 안다. 그 적절한 시기의 가운데 내가 서 있을 수 있다는 건 엄청난 행운이다. 새로운 행운의 때와 장소에 내가 있다면 더 이상 게으른 모습은 보이지 않고 싶다. 사실, '게으른 모습은 보이지 않을 것이다.'라고 더 단호하고 의지 있게 말하고 싶다. 그렇게 말할 수 있는 사람이 되고 싶다.

내가 하고 있는 이 일이. 내가 누리고 있는 오늘이. 누군가에게 돌아갈 수도 있었던 '기회'라는 걸 생각해야겠다. 나보다 더 절실한 누군가가 누릴 수 있었던 기회를 내가 운이 좋아 누리고 있다고 생각해야겠다.

대체 불가능한 한 사람이 된다는 건 생각보다

훨씬 더 어려운 일일지 모른다. 어쩌면, 불가능에 가깝다는 게 더 맞는 말일 수도 있다. 세상엔 수많은 뛰어난 사람들이 있다. 내가 생각한 무언가를 이미 생각했고, 행동으로까지 옮겨낸 사람들이 많다. 그런 사람들 틈바구니에서 내 자리를 공고히 한다는 건 참 어려운 일이다.

어려운 일이라는 생각에, 게으름과 나태함 때문이라는 핑계를 방패 삼아 행동하지 않았다. 어차피 하더라도, 그 사람들보다 잘할 수 없을 거라는 생각에 움직이지 않았다. 하지만 나태함은 상처받고 싶지 않아 내세운 방패일 뿐이었다는 걸 알았고, 받아들였다.

진정 내가 행동하지 않은 이유는 '회피'다. 무섭고, 잘 알지 못한다는 이유로 외면하고 망설인 결과. 직면하지 않은 결과. 누구보다 열심히 살고 있다고 자신하지만, 그 반대편을 바라보면 누구보다 회피하며, 보고 싶은 것만 보고 살았던 나의 모습이 보인다.

이번엔 회피하지 않으려 한다. 내가 보고 싶지 않은 나의 모습도. 내가 마주하고 싶지 않은 사람도. 내가 처하고 싶지 않은 상황도. 직면하고, 바라보고, 부딪치려 한다. 뻔한 말이지만, 피하기만 하는 게 상책은 아니니까. 가장 좋은 대책은 직면이니까.

뻔한 말을 따르는 게 얼마나 어려운지. 뻔한 사람이 되는 게 얼마나 대단한 일인지. 이제는 안다.

대체 불가능한 사람은, 뻔한 일을 뻔하지 않게 해내는 사람. 회피하고 싶은 상황을 뻔뻔하게 마주하는 사람. 그런 사람일지 모른다.

이제는 당당하게 뻔뻔한 사람이 되어야겠다.

나도 좋은 사람이 되고 싶다

좋은 사람을 만나려면 좋은 사람이 되어야 한다. 진부하지만 진리인 말이다. 어쩌면 진리는 진부가 켜켜이 쌓이고 쌓여 만들어진 것일지도 모를 일이다. 보편의 진리를 한 사람이 따르거나, 따르지 않는다고 해서 세상이 무너지진 않는다. 그저 다수가 믿고 따른다는 이야기다.

항상 다수의 편에 설 필요는 없다. 그렇지만 항상 다수의 반대편에 설 필요도 없다. 모든 것은 나의 선택이다.

관계의 늪에 빠져 허우적거릴 때가 있었다. 돌이켜보면 풀지 않은(풀지 못한) 작은 오해가 눈덩이처럼 커져 눈앞을 가로막았던 일이 많다. 사실, 몇몇 눈덩이는 아직도 마음 한편에 차갑게 얼어있다. 녹을 생각도 하지 않는 몇몇 눈덩이는 구르고 또 굴러 때로는 오늘의 나를 덮친다. 녹을 생각도 하지 않는 눈덩이. 녹일 생각도 하지 않는 나의 마음. 한 걸음의 엄두도 나지 않아 애써 외면하는 그런.

나는 선택과 결심을 행동으로 옮길 때 풀악셀을 밟는 사람이다. 하지만 또 나는, 관계가 얽힌 것에는 클러치를 잘못 떼 육중한 차가 위아래로 말을 타고, 오르막길을 오르다 시동을 꺼먹는 야수교 운전병 같은 사람이다. 누군가는 나를 용기 있는 사람이라 볼지 모른다. 적어도 내가 하고 싶은 일에는 그럴지 모른다. 그들이 보는 나도 나의 모습이니, 애써 부정하지 않는다.

얽힌 관계의 회복, 새로운 관계의 시작 앞에선 한없이 소심하고 용기 없는 사람도 나의 모습이다. 뭐 어쩌겠나. 이 모습도 저 모습도 모두 나인데.

슬픔을 이야기하고 싶은 것이 아니다. 요즘 나는 몸도 마음도 아주 건강하다. 몸에 맞지 않는 옷을 억지로 욱여넣어 입었을 때와는 다르다. 내가 입고 싶은 옷을 내 손으로 직접 사서 입으니, 한결 가붓하다. 몸도 마음도 가붓해서 그런지 몰라도 주변에 참 좋은 사람들이 많다고 느낀다. 요즘 특히 좋은 사람이 많아진 것인지. 항상 좋은 사람은 곁에 있었지만, 알아차리지 못한 것인지 모르겠다. 무엇이 되었든 내 주변에는 좋은 사람이 참 많다.

그래서 나도 좋은 사람이 되고 싶다. 나도 당신에게 좋은 사람이 되어 당신의 든든한 버팀목이 되고 싶다.

아니 이 녀석. 날 마음에 두고 하는 말인가? 생각된다면 아마 맞을 것이다. 소심한 내가 당신에게 직접 전하지 못한 말을 이렇게 글로 전하는 중이다. 곁에 있어 주어 참 고맙다. 참 고마운 김에 염치없는 부탁 한 가지 하고 싶다. 몸도 마음도 건강할 때 있어 준 당신이 혹 내가 그렇지 못할 때도 곁에 있어 주면 좋겠다. 그때도 흔들리는 나를 꼭 붙잡아 주었으면 좋겠다. 그럼 나도 당신이 건넨 손을 힘껏 잡아 거뜬히 일어설 용기를 갖겠다.

좋은 사람들이 곁에 있으니 나도 좋은 사람이 되고 싶다.

이런 나를 만들어준 당신에게 진심으로 고맙다.

마주 대하여 주고받는 이야기

〈이상한 변호사 우영우〉를 보고_1

성적 잘 받으려면 공부해
살 빼려면 운동해
대화하려면 노력해
원래 방법은 뻔해
해내는 게 어렵지
근데, 디게 오래 걸려
노력한다고 바로바로 되고
대화는 그런 게 아니거든

드라마 〈이상한 변호사 우영우〉 3화 중 우영우의 아버지(우광호)가 영우에게 건네는 말이다. 너무 당연하고 뻔해서 굳이 설명이 필요하지 않은 말이다. 성적을 잘 받고 싶으면 공부해야 한다. 살을 빼고 싶으면 운동해야 한다. 그리고 대화하려면 노력해야 한다. 하지만 원래 당연하고 뻔한 일을 해내기란 쉽지 않다. 방법은 누구나 알고 있지만 그 방법을 제대로 알고, 제대로 해내는 게 어렵다.

특히 더 인상적인 부분. "디~게 오래 걸려. 노력한다고 바로바로 되고. 대화는 그런 게 아니거든."

대화. 마주 대하여 이야기를 주고받는다. 대화의 첫 번째 조건은 '마주 대한다'는 것이다. 한 사람과 다른 한 사람이 만나 얼굴을 마주하고 나누는 이야기가 대화다. 그리고 두 번째 조건. 이야기를 '주고받는다'. 어느 한 사람이 시간을 독점하여 이야기를 주기만 하는 것이 아니라는 소리다. 첫 번째 조건은 어느 정도 잘 이루어질 수 있다. 사실 얼굴을 마주하지 않고도 많은 일이 일어나고, 해결되는 요즘엔 이 또한 쉽지만은 않지만. 그래도 얼굴을 마주했다고 치자. 다음은 두 번째. 이게 참 쉽지 않다. 두 사람이 얼굴을 맞대 서로의 이야기를 '주고', '받는' 행위. 쉽게 말해 티키타카가 잘 이루어져야 한다는 것이다.

대화의 주도권을 잡으려는 사람이 있다. 아는 지식과 정보가 많다고 생각하거나, 내가 너보다 우위에 있다고 생각하는 경우. 또는 그렇지 못하다는 걸 알지만 그걸 숨기고 싶어 애쓰는 경우. 목소리가 커지고, 다른 사람의 말은 들으려 하지 않는다. 오로지 내가 하는 말을 너는 들어야 한다는 태도. 내가 너보다 더 많이 알고 있으니, 넌 그냥 듣고만 있어. 아니면, 사실 나는 아는 게 적긴 한데 그걸 너에게 들키고 싶지 않으니 볼륨 좀 높여 볼게.

굳이 우열을 가리지 않아도 둘 다 최악이다. 아는 걸 자랑하는 것도 최악이고, 아는 것도 없는데 아는 척하는 것도 최악이다. 대화의 기본 조건을 갖추지 않은 사람과 얼굴을 마주하기란 참 쉽지 않다.

〈이상한 변호사 우영우〉를 쓴 작가는 뻔한 방법을 해내는 게 얼마나 어려운지. 노력한다고 모든 일이 척척 되는 게 아니라는 걸 영우 아빠 우광호를 통해 전하고 싶었던 것 같다. 내가 느끼는 현실도 비슷하다. 나를 포함한 우리는 문제를 해결할 방법을 알고 있다. 성적을 잘 받고 싶다면 공부해야 한다는 것. 살을 빼려면 운동해야 한다는 것. 이를 모르는 사람은 없다. 다만, 알고 '해내느냐', '해내지 못하느냐'가 결과를 달리한다.

자, 그럼 해내는 쪽으로 방향을 틀었다 치자. 방향을 틀면 문제가 짜잔~ 하고 해결될 것 같지만, 세상은 그리 호락호락하지 않다. 노력한다고 바로바로 해결되고 그렇지 않다. 디~게 오래 걸린다. 광호가 영우와 한자리에 마주 앉아 시금치를 사이에 두고 대화할 수 있기까지 걸린 시간은 결코 짧지 않은 것처럼. 비록 영우는 광호가 시금치를 함께 다듬어 줄 수 있냐는 물음에 칼 거절을 했지만. 그래도 그 자리에 얼굴을 맞대고 앉아 대화를 '주고', '받기'까지 광호는 얼마나 많은 노력을 오래, 또 많이 했을까.

흘러가는 일요일 밤의 아쉬움을 함께했던 개그 콘서트라는 프로그램 중 '대화가 필요해'라는 코너가 있었다. (Z세대는 잘 모르겠지만) 가족 간 부족한 대화로 인해 생긴 문제점을 개그 소재로 삼아 코믹하게 풀어낸 코너인데, 꽤 재밌게 봤던 기억이 있다. 한집에 사는 한 식구끼리도 꾸준히 노력하지 않으면 어려운 게 대화다. 오죽하면 코미디언들의 개그 소재로 쓰였을까.

요즘엔 따로 얼굴을 마주하지 않아도 해결할 수 있는 일이 많다. 한 사무실에 파티션을 가운데 두고 자판을 두드리다 시간이 되면 노트를 들고 우르르 회의실로 가 업무 회의를 하지 않고도, 일을 할 수 있는 세상이다. 온라인 세상에 또 다른 내가 있는 세상이고, 끝나지 않는 감염병으로 랜선 집들이다, 랜선 여행이다, 뭐다 해서 만나지 않고 꽤 다양한 사회생활을 할 수 있는 세상이다.

얼핏 보면 혼자서도 잘 살 수 있을 것만 같다. 다른 사람과 말을 섞지 않아도, 메시지 몇 번 주고받으면 서로의 의사를 알 수 있으니 말이다. 얼핏 보면 그렇다. 하지만 세상은 너무나 복잡다단하다. 홀로 서 있는 것 같아도 홀로 서 있지 않고, 나 혼자 모든 걸 다 할 수 있을 것 같지만, 그렇지 않다.

노력이 필요하다. 나의 말만 내뱉는 게 아니라 남이 내뱉은 말도 잘 들을 줄 아는 노력. 혹시 흘린 말이 있지는 않은 지 뒤를 살피는 노력. 그리고. 그 노력을 오래, 꾸준히, 지치지 않고 이어 나가는 노력. 꾸준한 노력만이 나와 남이 온전히 대화할 수 있게 만든다.

노력했으나 바로바로 되지 않는다고 쉽게 포기하지 않은 우광호처럼. 대화가 필요하다며 한 식탁에 앉아 "밥 묵자"를 2년 넘게 외친 김대희처럼. 꾸준한 노력이 대화를 만든다.

대화. 마주 대하여 이야기를 주고받는다.
마주 대함과 주고받는 이야기가 필요한 오늘이다.

이상하고 별나지만, 가치있고 아름다운

〈이상한 변호사 우영우〉를 보고_2

〈이상한 변호사 우영우〉를 드디어 다 봤다. 주변 사람들과 인터넷 기사에서 드라마에 관해 이야기할 때 눈 감고 귀 막고 외면하다, 아끼고 아껴 드디어. 나는 항상(거의 대부분이라고 하자) 남들보다 한 발 느린데, 이번엔 그런 느림이 나쁘지만은 않았다. 매스컴에서 드라마 한 회가 끝날 때마다, 관련 기사를 쏟아내고 뭐가 옳네, 그르네 이야기할 때마다 작가가 하고자 하는 말이 가려지는 것 같았다. 책이든, 드라마든 읽고 보는 사람이 해석하기에 따라 달라지는 거지만, "거참 진득하니 좀 봐봅시다!"라고 소리치고 싶지 않았다. 드라마를 한 번에 몰아보면 다른 사람 신경 쓰지 않고 볼 수 있어 참 좋다.

〈이상한 변호사 우영우〉의 주인공 우영우는 자폐 스펙트럼 장애를 갖고 있다. 스스로를 자폐인이라 일컬으며, 본인의 장애를 숨기지 않는다. 본인의 장애를 알고, 받아들이는 과정. 나아가 타인에게 숨기지 않고 이야기하기까지 얼마나 많은 시간과 노력이 있었는지는 감히 상상할 수 없다. 그렇게 모든 것을 이겨낸 듯 보이는 우영우는 15화에서 아래처럼 이야기한다.

"내 안은 나로 가득 차 있어서, 가까이 있는 사람을 외롭게 만듭니다. 언제, 왜 그렇게 만드는지도 모르고, 어떻게 해야 안 그럴 수 있는지도 모릅니다."

나로 가득 차 있는 나의 모습. 언뜻 보면 나쁘

지 않아 보인다. 하지만 우영우의 말처럼 나로 가득 차 있는 사람은 가까이 있는 사람을 외롭게 만들기도 한다. 특히 우영우는 자신의 세계가 조금 더 뚜렷하니, 그런 내 모습을 바라보는 게 더 힘들었을 것이다. 의도치 않게 가까운 사람, 사랑하는 사람을 외롭게 만드는 나를 바라볼 수밖에 없는 현실이 말이다.

그리고 바로 이어지는 16화에서, 우영우 자신을 흰고래 무리에 속해 함께 살아가는, 길 잃은 외뿔고래에 비유한다. 낯선 바다에서 낯선 흰고래와 함께 사는 것처럼. 모두가 본인과 달라 적응하기 쉽지 않고, 본인을 싫어하는 고래도 많음을 알고 있다고 말한다.

나만 뺀 모두가 같은 모습을 하고 있다면. 혹 내가 틀리지 않았더라도, 틀린 것처럼 보인다. 끊임없이 다른 사람과 비교하게 된다. 비교에 갇힌 나는 외로워지고, 또다시 홀로 남게 된다.

하지만 우영우는 그것이 본인의 삶임을 받아들인다. 남을 외롭게 하기도 하고, 스스로 외로운 삶을 살고 있기도 한 본인의 삶을 살아낸다. '이상하고 별나지만, 가치 있고 아름다운 삶'을 아주 잘 살아낸다.

세상엔 다양한 사람이 있다. 대중의 시선에서 보면 특이한 사람. 별난 사람. 특별한 사람. 이상한 사람. 표현만 다를 뿐 '사람' 앞에 수식어를 붙여 '사람'과 구분 짓는다. 무언가 다름을 에둘러 표현한다. 그리고 다르지 않은 '보통 사람'끼리 모여 편을 만들고, 무리를 만들고, 집단을 만든다. 그 집단이 힘을 갖게 된다면 집단에서 그치지 않고 조직을 만들고, 조직이 모여 사회가 된다.

아무것도 아닌 것 같은 수식어 하나가 사람을 가른다. 나와 다른 남을 존중하지 않는 말과 행동은 편을 가르고, 또 편을 만든다.

내가 사는 세상엔 우영우가 많다. 이상하고 별나 보이는 사람들. 보편적이지 않은 길을 가는 사람들. 초, 중, 고등학교를 졸업해 대학을 나와 취업하고 결혼하는 일반적이고 보편적인 길을 걷지 않는 사람들. 걷지 않는 것인지, 걷고 싶지만 걷지 못하는 것인지 내막은 알지 못한다.

하지만 적어도 그들의 겉모습은 '이상하고, 별나다'. 그리고 동시에 그들은 '가치 있고, 아름답다'. 가끔 스스로 외로워 몸부림치고, 사랑하는 사람을 외롭게 해 슬퍼하는 한이 있더라도. 묵묵히 그리고 꾸준히 본인의 길을 걷는 그들은 충분히 가치 있고, 넘치도록 아름답다.

이상하고 별나지만, 가치 있고 아름다운 삶을 살아가는 수많은 우영우들이 행복했으면 좋겠다. 막연해 보이는 행복이라는 단어가 때로는 또렷하게 보일 때가 있다. 조금은 별난 우영우 덕분에 행복이 조금 더 또렷하게 보인다.

다 좋아서 하는 일이다

갖기도 어렵다. 갖고 난 이후도 어렵다. 온갖 어려운 것들을 모아놓은 것만 같은 것. 종이 몇 장에 내가 이런 사람이오! 하며 자랑을 늘어놓되 겸손하지만 모자라 보이지 않게 쓰면서도 내가 어떤 사람인지 명확히 알 수 있도록 깔끔하게 정돈하기란 참으로 어렵다. (숨차다) 종이 몇 장을 채우고, 몇 분 혹은 몇 시간 동안 나에 관해 이야기를 서로 주고받는다. 손엔 땀이 줄줄 줄 흐른다. 이게 뭐라고 이렇게 까지 떨 일이냐 싶지만, 다리는 후들후들 떨린다. 그 시간이 지나고, 또 지나 운이 좋다면 나만의 책상과 의자 각 한 개씩을 부여받는다. 언제까지 나만의 책상과 의자가 될지는 모르지만 말이다.

세상 모든 사람이 이런 과정을 겪는 건 아니다. 지극히 내 경험이다. 첫 번째 직업을 갖기 위해 보냈던 시간을 몇 줄로 적어보았다. 그때는 조그마한 실수에도 세상이 무너지는 것 같더니, 막상 적어놓고 보니 별거 아니다. 그저 나를 소개하는 글을 적고, 궁금해하는 질문에 답하면 되는 거였다. 그게 뭐라고 그리 떨었던지. 그래도 최종 면접에 합격하고 난 후 혜화역 근처 카페 계단에 주저앉아 좋아했던 순간과 그때의 기억만큼은 잊지 않을 테다.

우리는 좋아하는 일과 잘하는 일 사이에서 고민한다. 무엇을 선택해야 내 삶이 더 윤택해질까. 혹은 더 행복해질까 저울질하며. 선택할 수 있는 환경과 위치에 있다면 큰 행운이다. 누군가는 선택지 없이 떠밀리듯 일을 해야 하기도 한다. 나의 첫 직업은 좋아하는 일도, 잘하는 일도 아니었다. 단순히 내가 수년간 학교에서 배운 걸 일로써 삼은 직업이었다. 그리 좋지도, 또 그렇다고 너무 싫지도 않은 그 일을 직업으로 선택했다.

사회적으로 부자가 될 수 있는 직업은 아니었지만, 그래도 잘만한다면 보람 있고 가치 있는 직업이었다. 하지만 아쉽게도 나는 그 보람과 가치를 지니기에 사명감이 부족했다. 나보다는 남을 조금 더 생각해야 하는 일. 한 명의 사람을 깊게 보기도 하지만, 때로는 '정책, 법령, 사회'처럼 딱딱한 단어가 가득한 종이 속에 파묻혀야 하는 일이 벅찼다. 조금씩 쌓여가는 벅찬 하루는 나를 갉아먹었다. 내가 나를 잃어버리는 것 같았다. 원래 내가 어떤 사람이었는지 잊고, 잃어버린 시간이 계속되었다.

그렇게 흘러가던 나의 첫 번째 직업에 정지 버

튼을 눌렀다. 잠시 숨을 고르는 일시 정지가 아닌. 완전히 멈추는 정지. 첫 번째 직업의 시간은 그때 끝났다. 쉼이 필요했다. 몸도, 마음도 온전히 나로 돌아올 시간과 쉼이 필요했다. 더 이상 그 누구도 만나고 싶지 않았다. 날마다 사람들 틈바구니에서 톱니처럼 일하던 순간이 떠올라 사람 많은 곳은 일부러 피했다. 친하건 친하지 않건 주위에 사람을 두지 않았다. 철저히 혼자가 되었다.

일상을 벗어났다. 일상적이지 않은 풍경을 볼 수 있는 곳으로 나를 옮겨놓았다. 그곳에 있다면 잠시나마 온전히 나만의 시간을 보낼 수 있지 않을까 싶었다. 하염없이 걷기만 하기도 했고, 바다를 바라보며 해가 반대 방향으로 질 때까지 생각을 버리기도 했다. 하지만 그 시간은 내 삶에 일시 정지일 뿐이었다. 어찌 되었든 다시 일상으로 돌아와야만 했고, 그 순간엔 다시 새롭게 재생 버튼을 눌러야 했다.

두 번째 시작은 다르고 싶었다. 좋아하지도, 잘하지도 않는 일을 직업으로 삼고 싶지 않았다. 좋아하면서 잘하고, 잘하는데 좋아하기까지 하는 일은 바라지도 않았다. 그저 둘 중에 하나라도 선택하자 싶었다. 선택에는 오랜 시간이 걸리지 않았다. 딱히 잘하는 게 있지 않은 나로선 좋아하는 일을 선택하는 게 이미 정해진 답이었다.

지금껏 공부하고 해왔던 일과는 전혀 다른 일을 직업으로 삼는 데는 시간과 노력이 필요하다. 물론 무슨 일이든 대충대충 한다면 어찌어찌할 수는 있다. 하지만 그렇게 살기엔 새롭게 주어진 나의 매일이 너무 소중했다. 기왕에 새롭게 시작한다면 제대로 하고 싶었다. 뭣도 모르지만 배워야겠다 싶었다. 그렇게 새로움을 접했다. 좋아하는 게 일이 되면 싫어진다던데 나도 그러면 어쩌나 싶었지만. 어쩌나 싶지 않아도 될 만큼 그 일이 더 좋아졌다.

좋아서 하는 일. 좋아하는 일을 직업으로 삼는 데에는 그만한 책임이 따른다. 좋아서 하는 일 속에서 좋아하지 않는 순간을 맞닥뜨릴 수도 있다. 좋아하는 일을 하지만 그 과정이 힘난하고 지난할 수도 있다. 좋아하는 일을 직업으로 삼는다면 그만한. 아니, 그보다 더 큰 책임이 따른다.

내가 하는 이 일이. 내가 일하는 이 직장이. 내가 가진 이 직업이. 누군가에겐 꿈일 수도 있다. 다른 누군가에게 주어질 기회였을 수 있다. 굳이 다른 사람을 끌고 오지 않더라도, 나의 순간과 시간은 소중하기 때문에. 그렇기 때문에 책임이 따른다.

때로는 해야 하는 일과 마주치는 사람들로부터 겪어보지 못했던 새로운 힘듦이 다가오기도 한다. 때로는 왜 이렇게까지 해야 하나 싶은 순간도 온다. 하지만 '좋아서 하는 일'이라는 기본값은 변하지 않는다.

좋아하는 일을 잘하기까지 하는 순간을 상상해본다. 짜릿하다 못해 쩌릿쩌릿하다. 천천히 그리고 꾸준히 해나가다 보면 언젠가 온몸이 쩌릿쩌릿한 순간이 오지 않을까. 꽤 기대된다.

어딘가 조금 부족하지만 좋은 사람

춤을 무기로 서로 겨루는 프로그램. 백업 댄서
가 아닌 댄서로 인정받는 시간. 기회. 도전. 열
정. 꿈.

지난해 방영된 '스트릿 맨 파이터(이하 스맨
파)'를 떠올리면 자연스레 함께 연상되는 단어
들이다. 춤을 소재로 한 프로그램이니 당연히
춤이 먼저 떠오른다. 다른 어떤 것도 아닌 오직
몸짓으로만 서로 우위를 가르는 시간. 원초적이

고 본능적이라 대중에게 인기가 있는 것일까. 이유야 어찌 되었든 사람들은 그들의 진심 어린 몸짓에 열광한다.

춤이라곤 초등학교 4학년 학예회 때 무대 위에서 춘 탈춤이 전부인 나다. 비록 얼굴을 가리긴 했어도, 나름 메인 댄서였다. 지도해주시는 선생님의 픽을 받았었는데, 그때 뿌듯함이 아직도 생생한 거 보면 확실히 나는 관종이긴 하다. 다시 본론으로 돌아와서. 춤 문외한인 내가 봐도 그들의 몸짓은 정말 멋지다. 어떻게 하면 그렇게 유연하게 움직일 수 있을까. 어떻게 하면 그렇게 음악에 맞춰 칼군무를 할 수 있을까. 라는 생각을 매번 볼 때마다 한다.

스맨파에선 총 여덟 개의 크루가 각기 다른 스타일의 춤을 보여준다. 어떤 크루는 크럼프를, 다른 어떤 크루는 힙합, 왁킹 등등 지금껏 그들이 밟아온 길을 춤에 녹여 매회 새로움을 드러낸다. 그런 새로움 속에는 통통 튀는 크루원들의 모습도 함께 드러난다. 어떤 사람은 수줍은 듯하지만, 춤을 출 때만큼은 눈빛이 돌변한다던가. 또 어떤 사람은 깐족깐족대며 내가 이 구역 짱이야! 외친다던가 하는. 그렇게 하나하나 개성 있는 사람들을 하나의 '크루'로 묶는 역할은 '리더'가 한다.

크루원의 성격이 모두 다르듯 크루를 이끄는 리더의 성격과 이끄는 방식도 모두 다르다. 강한 어조로 카리스마 있는 역할을 맡는 리더. 부드럽게 타이르며, 잘할 수 있다 믿어주는 리더. 자신의 실수로 크루원들에게 피해가 갈까 눈물 흘리는 리더. 여덟 명의 리더는 모두 다른 리더십으로 크루를 이끈다.

흥미로웠다. 물론 프로그램의 재미를 위해 더 극대화해서 편집하긴 했겠지만. 너무 다른 리더와 그 리더를 따른 크루원들의 모습이 이 프로그램의 또 다른 재미 포인트다. 사람은 둘 이상만 있으면 우열을 가린다. 힘이 세건, 말을 잘하건, 또 다른 무엇이 더 월등하건. 어떤 이유가 되었든 없던 이유를 만들어서라도 그 집단을 대표하는 누군가를 세우고자 한다. 그런 존재는 아무리 수평적인 집단이라고 하더라도, 자연스레 생기기 마련이다.

그럼 좋은 리더란 무엇일까. (세상 이렇게 진부한 질문을 또 한다) 서점에 가면 수없이 많은 책들의 겉표지는 '리더', '리더십', '좋은 리더', '리더란?'을 포함한 제목을 내세운다. 리더가 되고 싶거나, 현재 리더인 사람들. 혹은 내가 속한 집단의 리더가 꼴도 보기 싫은 사람들은 어차피 뻔한 말인 걸 알면서도 슬쩍 그 책들을 들춰보기 마련이다.

내가 생각한 게 맞는지. 다른 사람은 어떻게 생각하는지 궁금하니까. 그래서 들춰본다. 그러고는 이내 몇 장 넘기지 않고 책을 닫아 내려놓는다. 역시는 역시다. 뻔한 말투성이. '경청', '섬김', '희생', '카리스마'... 더 이상 설명이 필요하지 않은 멋들어진 단어들로 이루어진 책을 돈 주고 사서 읽기란 쉽진 않다. 맞다. 역시는 역시다.

남들이 말하는 좋은 리더는 이제 웬만큼 다 알았다. 그럼, 이제는 '내가 생각하는' 좋은 리더. '내가 되고 싶은' 좋은 리더가 무엇인지 알고, 그렇게 행동하면 된다. 카리스마형 리더? 섬김형 리더? 무엇이든 말이다. 어차피 둘 다 맞으니까.

내가 생각하는 좋은 리더는, 어딘가 조금 부족한 사람이다. 이런 부분은 참 잘하는데, 저런 부분은 조금 부족한. 일 처리가 완벽하고 깔끔해서 참 좋은데 너무 진지해서 재미없는. 백 퍼센트 다 잘하는 사람, 잘하려고 하는 사람은 조금 버겁다. 이런 부분을 잘하니, 내가 저런 부분을 챙겨주면 된다. 때때로 지나치게 진지해서 딱딱한 분위기를 만든다면, 가벼운 농담과 유머로 말랑한 분위기를 만들면 된다. 그 둘을 모두 다 하려는 사람은 본인이 피곤하거나 본인이 남을 피곤하게 하는 사람일 가능성이 높다.

자신이 너무 잘나서 리더가 되는 경우는, 리더를 따르는 팀원의 능력이 빛을 발하지 못할 수 있다. 물론 팀원의 숨겨진 장점과 능력을 찾아내 보여주는 사람이라면 최고지만. 대개 그런 사람은 본인의 일에 함몰되어 팀원이 어떤 생각을 하는지. 무엇 때문에 힘들어하는지 살펴보지 못한다. 팀이 조금 더디게 전진하더라도, 팀원을 살필 수 있는 리더. 가끔 실수하더라도, 담엔 그러지맛! 하며 따끔하게 혼내고 훌훌 털어버리는 리더. 리더 본인이 아닌 팀을 살릴 수 있는 리더. 어딘가 어수룩하지만 일 하나는 끝내주게 잘하는 리더. 팀원이 그들의 그림을 그릴 수 있도록 기회를 열어주는 리더.

어딘가 조금 부족하지만 좋은 사람이자, 좋은 리더. 그리고 그런 사람 곁에 오랜 시간 함께하는 사람들. 그들이 모인 공동체. 팀. 가족. 생각만으로도 가슴 뭉클하다. 나와 함께했던, 함께

하는 사람이 그런 사람일까. 내가 그런 사람이 될 수 있을까. 고민하고, 생각한다.

어딘가 조금 부족하고, 어수룩한 건 맞는데 역시 어려운 건 '그다음'이다. 이제 '그다음'을 채우기 위해 부단히, 꾸준히 힘쓸 타이밍이다. 부족함을 서로 채울 수 있는 관계. 생각하면 머리를 콩하고 쥐어박고 싶을 때도 있지만, 뭐라도 하나 더 챙겨주고 싶은 관계.

서로의 서로가 되어주는 관계.

만약, 그런 사람들과 팀이 되고 함께한다면. 꼭 스트릿 맨 파이터까진 아니더라도 무언가는 할 수 있지 않을까. 그 무언가가 무엇일지는 잘 모르겠지만. 또 그때가 언제가 될지는 모르겠지만.

벌써 설레고, 벌써 재밌다.

나의 해방일지

드라마 이야기가 아니다. 물론 언젠가 8화 오프닝에서 멈춰있는 〈나의 해방일지〉를 끝까지 보긴 하겠지만. 일단 이 글은 드라마 이야기가 아니다.

해방촌에 왔다. 이태원 옆 남산 아래. 이름에서부터 풍기는 중후한 무게감. 해방촌. 해방 이후 실향민들이 모여 마을을 이루었다 해서 '해방촌'이라는 이름이 붙었다고 한다. 실향민들의

피난처였던 이곳이 어떻게 지금은 힙스터들의
안식처가 되었는지는 모르겠다.

해방촌은 모든 게 많다. 어르신도 많고 아이
도 많다. 당연히 우리나라 사람도 많지만, 이곳
에 사는 외국인도 정말 많다. 어떨 때 보면 내가
외국인인 것처럼 느껴지기도 한다. 사람만 많은
게 아니다. 고양이도 많고, 개도 많다. 외국인들
이 많이 살아서 그런지, 개도 귀여운 크기의 강
아지라기보단, '해-방'이라고 이름 붙여야 할 것
같은 큰 친구들이 많다. 과일가게도. 오래된 슈
퍼마켓도. 낡은 전파상도. 오랜 시간 이곳을 지
키고 있다. 물론 골목 곳곳엔 빼꼼 자리 잡은 멋
진 카페와 음식점도 있다.

해방촌으로 향하는 길은 만만치 않다. 여러 가
지 방법이 있겠지만, 간단히 보면 위에서 내려
가는 방법과 아래에서부터 올라가는 방법이 있
다. 서울역이나 숙대입구역에서 초록색 마을버
스를 타고 위로 계속 오르면 해방촌이라는 이

름이 어울리는 곳에 도착할 수 있다. 서울에 이런 곳이 있었나? 싶을 정도로 경사가 가파르고, 길은 좁다. 오토바이도 많고, 튼튼한 다리로 걸어 올라가는 사람도 많다. 그 분주함을 비집고 초록색 작은 마을버스는 거침없이 오른다. 아마 서울에서 제일가는 베스트 드라이버를 뽑으라면 해방촌 마을버스 기사님이 세 손가락 안에 들 테다.

위에서 아래로 내려가는 방법은 그보다 수월하다. 힐튼호텔에서 파란색 버스를 타고 남산을 오르다 보면 사람들이 우르르 내리는 곳이 있다. 넓게 용산구 전경을 볼 수 있는 곳. 해방촌이다. 위에서 아래로 내려가든. 아래에서 위로 올라가든. 선택은 자유다. 하지만 나는 아래에서 위로 올라가는 방법을 추천한다. 뭐랄까. 해방촌은 이렇게 가야 해방촌 맛이 난다 해야 할까.

해방촌에 도착했다면 열이면 열 위를 보게 된다. 남산타워라 부르는 게 익숙한 N서울타워가

머리 위에 우뚝 서 있으니, 위를 볼 수밖에 없
다. 전선에 걸친 남산타워의 모습을 눈에 담고
핸드폰에 담다 보면 뒤에서 빵빵 소리가 들린
다. 오토바이일 수도, 택시일 수도 킹왕짱 마을
버스 기사님일 수도 있다. 해방촌은 뭐든 많은
곳이라 항상 조심해야 한다.

　무질서 속의 질서가 존재하는 곳. 해방촌은 그
런 곳이다. 들은 바로는 이토록 복잡한 해방촌
에서 큰 사고 한번 나지 않았다고 한다.

　정돈되지 않은 듯하지만 나름의 규칙을 가진
전봇대 위 전선. 어디가 내려가고 어디가 올라
가는 건지 모르겠지만, 이쪽저쪽 눈치 보면 금
세 방향을 알아차리는 버스정류장. 혼자 터벅터
벅 걷다가도 따가운 시선이 느껴져 고개를 돌리
면 흘깃 쳐다보고 있는 새침한 고양이. 정말 사
람이 올라갈 수 있을까 싶은 경사의 높고 좁은
계단. 오래된 구옥에 자리 잡은 세련된 카페. 항
상 사람들로 북적이는 아름다운 동네 책방.

인구 천만이 사는 복잡하고 시끄러운 도시 서울. 길을 걷다 보면 항상 마주치는 수많은 아파트 속에서 '저 많은 집 중에 내 집은 없구나.' 를 되뇌며 "에잇 퉤!" 하게 만드는. 야속하고 얄미운 도시 서울. 이 도시에서 나고 자라지 않은 이방인들에게 해방촌은 어쩌면, 마음의 안식처이자 피난처일지 모른다.

수십 년 전 고향을 잃고 어떻게든 살기 위해, 언덕배기 높은 곳에 만들어진 작은 동네. 작은 마을. 크나큰 도시 서울에서 '동네', '마을' 따위의 단어가 어울리는 곳은 흔치 않다. 조금만 유명해지면 대기업을 등에 업은 프랜차이즈 카페가 들어서고, 과일가게가 사라지고, 전파상이 사라지는 도시 서울. 이 도시에서 당신의 해방은 어디에서 이루어지는지 궁금하다.

온전히 당신이 당신다워질 수 있는 곳. 당신이 좋아하는 것들로만 가득 찬 곳. 사랑하는 사람을 데려와 소개해 주고 싶은 곳. 당신의 해방 일지에 등장할 곳이 어디인지 궁금하다.

일단, 나는 지금 있는 이곳. HBC. 해방촌이다.

당신, 안녕(安寧)하신가요?

어딘가에 살고 있다는 건 당연하면서도 대단한 일일지 모른다. 어딘가 내가 쉴 수 있는 곳. 어딘가 내가 머리 뉘어 잠잘 수 있는 곳. 그런 곳이 있다는 건 당연하지만 대단하다. 그곳이 나의 맘과 몸을 모두 편히 해줄 수 있다면 더할 나위 없다.

서울에 살고 있다. 이 글을 읽는 당신은 어디에 살고 있는지 궁금하다. 서울? 수도권? 지방?

서울민국이라 할 정도로 모든 게 서울이 기준인 이 나라에서 당신이 발붙이고 있는 곳은 어디인가. 노른자를 감싸는 계란 흰자, 경기도인가. 아니면 '그 밖에'라고 표현되는 지방인가.

앞뒤가 막힌 하얀 실내화를 신을 때부터, 거무튀튀하고 각진 교복을 입을 때까지 강원도에서 살았다. 그렇다. 나는 '그 밖에' 출신이다. 그리고 '마침내' 스무 살이 되어 서울에 올라와 지금까지 지내고 있는 나는, 중심에 살고 있는 건지 고민해본다. 비라도 내리면, 집이라 일컫는 오평 남짓한 공간에 물이 들어차지는 않을까 걱정하는 지금의 삶이 과연 중심에 있는 것일까. 서울에 오면 뭐라도 될 줄 알았던 푸릇푸릇하고 풋풋했던 스무 살의 나는 서른을 바라보는 팍팍한 지금의 나와 얼마나 달랐을까. 지금의 나는 그때의 나에서 얼마나 달라졌을까. 중심에 살면 중심이 될 줄 알았던 나머지 내 중심을 놓친 건 아닐까.

banjiha. 영화 기생충에서 등장해 꽤나 큰 임팩트를 주었던 공간. 누군가에겐 삶의 공간이지만, 또 다른 누군가에겐 이런 곳에 사람이 사는 건가 싶을 정도로 열악한 공간. 반지하. '지하'라는 단어가 풍기는 부정적인 뉘앙스가 불편한 사람들은 '반지하'를 대신해 '반지층'이라는 말을 쓰기도 한다. 뭐라 부르든 절반은 땅 위에, 나머지 절반은 땅속에 있는 공간이라는 사실은 변하지 않는다.

대한민국의 중심. 노른자. 메인 오브 메인인 도시. 서울. 그곳에 있는 수많은 건물 중 한 곳의 가장 아랫부분. 반쯤 잠긴 오 평 남짓 공간. 집이라 부르기 애매한 작은 방에 사는 나. 이 작은 방에서 나는 어떤 생각을 하고, 어떤 삶을 만들어 갈 수 있을까 고민한다. 이곳에 산다고 투정 부리는 게 아니다. 복잡다단한 도시 서울에서 편히 잘 수 있는 곳이 있다는 것만으로도 감사한 나날이다. 라면값도 오르고, 택시비도 오르고, 전기세도 오르는데 왜 나는 집을 내려만

가야 할까 투덜거리긴 하지만. 그래도 감사한 나날이다.

아래는 이서수 작가의 〈미조의 시대〉에서 주인공 미조가 '오천만 원'으로 서울에서 방을 구하며 한 말이다.

"계단을 오르는 것만으로도 마음이 점차 안정되는 신기한 체험을 했다. 이 집을 설계한 사람에 대한 인간적인 면모마저 떠올리게 되었다. 이타주의자. 휴머니스트. 누군가 나를 쉽게 해주기 위해 만든 집인지, 금전적 가치로 환산한 만큼의 공간에 욱여넣기 위해 만든 집인지 명확하게 느껴졌다."[2]

그녀가 이사 갈 집으로 반지하가 아닌 지상층으로 올라가며 한 말이다. (하지만, 그곳은 언덕배기에 지어져 앞에서 보면 1층이지만, 뒤에서 보면 여전히 반지하인 곳이다. 벗어날 수 없다. banjiha!) 이타주의자. 휴머니스트. 그렇다. 집

---

[2] 한국현대소설학회. 2022 올해의 문제 소설 중 이서수 "미조의 시대". 푸른사상. 2022.

이라는 공간은 인간다움이 묻어 나와야 집이라 일컬을 수 있다. 단순히 세를 받기 위한 공간. 산란계 농장의 닭장처럼 다닥다닥 방을 만들어 옆 방에서 방귀 뀌는 소리까지 듣게 하는 공간. 빛 한 줌 들어오지 않아 아침인지 밤인지 모르는 공간이 아닌, 인간의 존엄을 지킬 수 있는 공간. 인간다운 삶을 영위할 수 있는 공간. 그런 공간만이 마침내 '집'이라는 칭호를 받을 수 있다.

뭐가 그리 대단하고 거룩하냐 싶지만, '집'은 단순한 듯 보이나 대단한 곳이기에 그렇다. 우리 주변의 대부분은 집에 살고 있다. 그 집이 한 번 들어선 외워지지도 않는 긴 영어 이름의 브랜드 아파트이건. 빌라이건. 주택이건. 그 밖에 어떤 곳이건. 우리는 집에 산다.

당신의 '집'은 당신에게 어떤 곳인지 궁금하다. 일과를 끝마치고 돌아와 침대에 털썩하고 누워 온전한 쉼을 누릴 수 있는 곳인가. 아니면 단순히 해가 졌으니 돌아와 눈을 붙이고, 해가 뜨면 나가 눈을 부릅뜨고 일하길 반복하는 그런 곳인가. 그도 아니면, 집이라 일컫는 공간에 지내며 언제 집다운 집에서 살 수 있을까 꿈꾸게 하는 그런 곳인가. 그곳엔 따뜻한 온기가 있는 가. 당신의 '집'은 당신에게 어떤 곳인지 궁금하다.

서울. 대한민국의 수도. 너도나도 일자리를 찾기 위해 모이는 곳. 중심. 이곳에서 지내는 모든 이들이 '집'에서 '잘' 지내고 있는지 궁금하다. 따뜻한 온기가 그들을 온전히 맞이해 주고 있는지. 안락한 쉼이 그들을 기다리고 있는지. 편안한 마음과 건강한 몸을 되찾을 수 있게 해주고 있는지. 궁금하다.

당신은 잘 지내고 있는지.
깊은 안부를 묻는다.

당신,

진정 안녕(安寧)한가.

진정 아무 탈 없이 편안한가.

부리 없는 새

세상엔 날개를 달아줄 것만 같은 달콤한 말들이 많다. 잠깐 눈을 감아 생각해보면 그 날개들을 내 몸에 맞춰 하늘을 날 수 있을 것만 같다. 어쩌면 모든 것은 상상일지 모른다. 날개를 다는 것도. 하늘을 나는 것도. 그럴듯해 보이는 신기루 같은 일들. 저 멀리서 실눈으로 보면 그럴듯해 보이는 것들. 그럴듯해 보이는 것을 넘어 사실보다 더 사실 같고. 실제보다 더 실제 같은 것들. 가까이 가면 안개처럼 사라져 허망한 것들.

그래도 믿고 싶은 것들. 나에게 날개를 달아줄 것만 같은 달콤한 말들. 귀에 들어오는 말. 눈에 보이는 말. 말의 씨앗들을 하나둘 모아 담는다. 이 날개도 그럴듯해 보이고, 저 날개도 그럴듯해 보인다. 상상해본다. 내 팔을 이렇게 끼워서 슈욱 하고 넣으면 꼭 맞지 않을까. 아 반대 방향이구나, 내 팔을 저렇게 끼워야 했었구나. 슈욱 하고 넣기엔 날개가 너무 커(내 팔이 너무 짧은 건가) 슈우우욱 하고 넣어야 했었구나.

이제 양팔에 날개는 얼추 끼웠다.
하늘을 날아볼 차례다. 드디어. 나도.
다른 새처럼.

　심호흡을 한다. 후우. 후우. 후우. 뭐든 세 번 정도는 해야 마음이 편안하다. 이제 진짜 날아볼 시간이다. 학교에서 배운 대로, 세상에서 들은 대로 팔을 이렇게, 위아래로 움직여본다. 아직 익숙하지 않아 그런지 날개는 덜커덕거리지만 나는 날고 있다. 하늘을 날고 있다. 꽤나 느낌이 나쁘지 않다. 내가 걸었던 길도 보이고, 사는 곳도 보이고, 가고 싶었던 곳도 훤히 보인다. 모든 게 내 발아래 있다. 그럴듯하다. 이런 느낌이구나. 하늘을 난다는 게. 지금껏 다들 이렇게 하늘에서 아래를 바라보며 살았나 싶다. 나만 항상 땅에서 그들을 보고만 있었던 건가. 조금 씁쓸하지만, 그래도 신이 나 조금 더 멀리 조금 더 높이 날아본다.

　저기는 ○○○ 아파트. 부자들이 사는 곳이다. 저기는 ○○○○○○. 이름이 좀 어려운데 옆에는 숲이 있고 앞에는 강이 있다. 부자들이 사는 곳이다. 방향을 틀어본다. ○○○○. 궁전이라는 뜻인데 생김새도 참 궁전 같다. 부자들이 사는 곳이다. 휴. 이제 조금 숨이 차다. 난생처음 하늘을 날아봐서 그런지 팔도 좀 아프고, 목도 마르고 배도 고프다. 이 정도면 됐다 싶기도 하다. 오늘은 처음이니까. 나중에 또 날개를 달아 날아봐야지. 방향을 아래로 해 내가 원래 있던 땅으로 내려간다.

내 몸에 딱 맞춰 만들어진 날개가 아니라 그런
지, 겨드랑이며 어깨며 이곳저곳 상처가 가득하
다. 얼핏 보니 멍도 든 것 같다. 그래도 뭐. 차차
익숙해지겠지. 혹여나 망가질세라 조심스레 날
개를 정리한다. 깃털도 가지런히, 고이 접어놓
아야 한다. 나중에 또 하늘을 날아야 하니까. 그
때는 더 멀리 더 높이 날아볼 생각이니까. 이제
무엇 좀 먹어야겠다. 하루 종일 하늘을 날았더
니 지칠 대로 지쳤다. 익숙한 음식을 찾아 먹는
다. 먹으려고 해 본다. 그런데 무슨 일인지 음식
을 먹을 수 없다. 배가 너무 고픈데, 음식을 집
을 수 없다. 도무지 먹을 수가 없다. 무슨 일인
가 싶어 다시 한번 먹으려 해 본다. 먹을 수 없
다. 음식을 제쳐두고 거울 앞으로 간다.

부리가 없다. 난 날개를 달고 새가 되었는데,
부리가 없다. 부리가 없어 음식을 집을 수도, 먹
을 수도 없다. 날개만 달면 모든 게 해결될 줄
알았다. 높은 하늘을 날고. 가보지 못한 곳도 가
보고. 가보고 싶었던 곳도 갈 수 있을 줄 알았

다. 갈 수 있었다. 하지만 나는. 부리가 없다. 거울을 보기 전까지 알지 못했다. 부리가 없는 새는 날개도. 하늘도. 아무 의미 없다.

　하늘을 날다 지쳐 둥지로 돌아와 작은 음식 하나 집을 수 없다. 다른 새들처럼 날아 그럴듯해 보일지 몰라도. 부리 없는 새는 항상 굶주릴 뿐이다. 내가 부리가 없다니. 내가 부리가 없다니! 세상은 날개를 달아줄지언정 부리를 만들어 주진 않았다. 하늘을 나는 방법을 알려줄지언정, 부리 없는 새를 돌보아 주진 않았다. 그저 부리 없는 새는 땅에서 살수도, 하늘에서 살 수도 없는 도태되는 존재가 될 뿐이다. 그렇게 꿈같았던 단 한 번의 비행은. 한 번의 비행으로. 한 번의 신기루로 남았다. 날개는 내 것이 아니었고. 하늘은 내가 갈 수 있는 곳이 아니었다.

　날개를 달아줄 것만 같은 달콤한 말들. 푸르른 젊음이 유일한 무기인 우리의 귀를 쫑긋하게 하는 말들. 어쩌면 나도 미래를 내다본다는 곳에 살 수 있을지 몰라. 어쩌면 나도 옆에는 숲이 있고, 앞에는 강이 있는 곳에 살 수 있을지 몰라. 어쩌면 나도 으리으리한 궁전같이 생긴 곳에 살 수 있을지 몰라. 하는 어쩌면의 연속을 만드는 달콤한 말들이 세상엔 너무나 많다. 그리고 푸르른 젊음이 유일한 무기인 우리는 달콤함에 속아 어느새 중독된다.

　푸르름을 지나 진녹색이 되고, 진녹색을 지나 주황색, 붉은색이 된 그들은 아직 푸르다는 말이 어울리지도 않은 연한 하늘빛의 어린 우리들을 현혹한다. 이것도 너희를 위한 거고, 저것도 너희를 위한 거란다. 너희는 그저 우리가 만들어준 이 날개옷을 입기만 하면 돼! 어때? 간단하지? 너희가 참 살기 좋은 세상이란다. 하늘을 누구보다 멀리, 누구보다 높이 날 수 있어. 이 날개옷만 입으면 말이야. 난 오히려 너희가 부러워 이렇게 다 우리가 해주는데 말이야. 나 때는 말이야...

연한 하늘빛의 우리가 하는 말은 그저 배부른 투정으로밖에 들리지 않겠지. 가진 것이 많은 줄도 모르고 그저 찡찡대는 어린 새로 보겠지. 나도 언젠가 진녹색이 되고, 주황을 너머 붉은 색이 될 텐데. 그때는 하늘을 날 수 있을까. 그 때도 하늘을 바라만 보지 않을까. 그때는 날개 가 내 몸에 꼭 맞아 겨드랑이도, 어깨도 온전할 수 있을까. 그때는 내가 새가 될 수 있을까.

그때는
나에게 부리가 있을까.

나는 부리 없는 새다.

좋아하는 일을 재밌게 오래

'일'

굳이 노동의 의무를 들먹이지 않더라도, 우리는(대다수의 우리는) 일을 하며 산다. 그 일의 목적을 어디에 두는지는 모두 다르겠지만. 일을 하며 살고, 살기 위해 일을 한다. 하루 중 삼분의 일, 많으면 절반 이상을 말이다. 집보다도 오래 머무는 곳이 일터가 되는 경우가 비일비재하다. 바쁘다 바빠 현대 사회를 살아가는 사람들에겐 이것 또한 너무 당연한 것일지 모른다.

뜻을 알아가기조차 버거운 취업과 노동 관련 신조어들이 난무한다. 이제 'N포 세대'는 너무 옛말이 된 지 오래다. 그마저도 닳고 닳아 무뎌진 요즘 세대. 요즘 시대. 나를 포함해 일을 하고 싶어 하는 사람들이 처음 맞닥뜨리는 고민은 '좋아하는 일'과 '잘하는 일' 사이에서 밀당을 어떻게 하느냐다. 불행인지 다행인지, 나는 크게 잘하는 일이 없었기 때문에 좋아하는 일을 쎄게 당길 수 있었다. 다행이라 생각한다.

자, 그럼 다음 스텝. 폴짝. '좋아하는 일'을 '어떻게' 할 것인가. 열심히. 잘. 최선을 다해서. 물론 다 맞다. 그렇게 하지 않는 사람은 그 일을 진정으로 좋아하지 않을 가능성이 높다. 좋아하는 것을 일로 하는 사람들은 대부분 열심히, 잘, 최선을 다해서 매일을 살아간다. 거기에 플러스알파가 더 필요하다.

'재밌게'. 좋아하는 일을 재밌게. 너무 뻔한 말인가? 원래 뻔한 게 제일 어렵다. 어떤 것이든 좋아하게 되면 다른 것보다 관심을 더 쏟게 된다. 다른 것들과 함께 있어도 그것만 또렷이 보인다. 그것을 제외한 모든 것들은 아웃포커싱 된 것처럼 말이다. 그런 시간이 반복되면 나도 모르게 집착하게 된다. 다른 것들에겐 흐린 초점을 유지한 채 앞만 보고 와다다다 달리게 된다.

와다다다 달리는 경주의 끝은 너무 뻔하다. 운 좋게 본인이 그어 놓은 결승선을 통과하면 다행이고, 그마저도 통과하지 못하는 경우가 흔하다. 최상의 시나리오를 생각해, 결승선에 통과했다 치자. 내가 느낄 수 있는 감정은 무엇일까. 뿌듯함. 성취감. 안도감. 그리고 그다음은 아마도 어딘가 모르게 허탈하고, 허무하고, 헛헛할지 모른다. 결승선만 보고 다른 것은 다 제쳐두고 달려온 결과가 그렇다. 아웃포커싱 되어 놓친 주변의 것들을 보려 뒤를 돌아보아도, 이미 놓친 지 오래다. 결승선 안쪽에 '나 홀로' 서 있는 기분. 아마도 그런 기분이 들 것이다.

좋아하는 일이라도 혼자서 모든 걸 해나가고 이루는 건 외롭고 슬픈 일일지 모른다. 그래서 '재밌게'가 중요하다. 무슨 일이든 재밌게 하려면 시간과 노력이 더 들기 마련이다. 합리적이고, 이성적으로 최대의, 최상의 결과를 만들어내는 길과는 확연히 다른 길이다. 조금은 엉뚱하고, 조금은 비합리적이고, 꽤나 돌아가는 길이 되는 경우가 많다. 그럼에도, 재미있다면? 적어도 나에겐 그 길이 가치 있다. 매일 이성적으로 생각하고, 합리적인 결정을 하기엔 나는 말랑한 사람이다.

'좋아하는 일'을 '재밌게' 하는 것. 여기서 멈추면 조금 아쉽다. 다음 스텝. 폴짝. 그 일을 '오~래'할 수만 있다면. 그럴 수 있다면 아마 이번 삶이 꽤 알찼다 생각할지 모른다. 요즘 젊은 세대들이 직장을 진득하게 다니지 못하고, 일찍 그만두는 경우가 많다고 한다. 그들도 일찍 그만두고 싶지 않았을 것이다. 누구보다도 오래, 즐겁게 일하고 싶었을 것이다. 수년간 공부하고 엄청난 시간과 돈을 투자해 들어간 직장을 누가 빨리 그만두고 싶을까.

하지만 아쉽게도 세상은 빨리 그만두는 '요즘 세대'를 탓한다. "조금 힘들어도 참지, 그걸 못 참네.", "새로운 곳 가면 뭐가 다를 것 같지? 다 똑같아."라는 말을 하는 '옛) 요즘 세대'는 그들이 만들고 쌓아온 것들로 인해 '현) 요즘 세대'가 그만둔다는 생각은 하지 않는다. '옛) 요즘 세대이자 현) 기성세대'인 그들은 그들이 앉아 있는 자리에 더 오래 앉아 있기 위해 고칠 것을 고치지 않고, 새로운 것을 거부한다. '현) 요즘 세대'는 그런 환경에 당연히 적응할 수 없다. 적응하는 게 본인을 갉아먹는다고 생각한다. 그래서 그만둔다. 누구보다 오래 일하고 싶은 사람들조차 울타리 밖으로 내쫓는 일을, 오래 그 일을 해온 사람들이 하는 꼴이 되고 만다.

그들을 탓하지 않는다. 누구나 시간이 흐르면 기성세대가 된다. 자연스레 내가 해왔던, 경험했던 것들에 익숙해진다. 시간이 흐르고 시대가 변해 기존의 방식이 옳지 않다고 느껴지더라도, 쉽사리 바꿀 수 없다. 그것이 당연했고, 자연스러웠으니까. 그럼에도 불구하고 '옛) 요즘 세대'는 '현) 요즘 세대'의 문화를 조금은 받아들이면 어떨까. 그래야 그곳은 고인 물이 아닌 자연스럽게 흐르는 물이 된다. 물론 '현) 요즘 세대'가 '옛) 요즘 세대'를 이해하는 것도 중요하다. (나에게 하는 말이다) 만약 그 변화와 이해의 환상 콜라보가 이루어진다면? 두말할 것 없이 그곳은, 누구나 '함께' 일하고 싶은 곳이 될 것이다.

좋아하는 일을 재밌게 오래 하는 것. 과연 가능할까 싶을 정도로 꿈같은 한 줄이다. 하지만 어쩌면 이런 생각을 하는 사람들과 함께라면 조금 더 빨리, 조금 더 즐겁게 해낼 수 있을지도 모른다. 뭐든 혼자보단 둘이 낫고, 둘 보단 셋이 낫다.

좋아하는 일을 '좋은 사람과' 재밌게 오래.

나의 시간과 나의 사랑을 기억한다

여행길에 오를 때면 이리저리 둘러보다 셔터를 누른다. 평소 같았으면 그냥 지나쳤을 순간도. 장면도. 여행길에선 그냥이 없다. 하다못해 개가 똥 싸는 모습도 (어쩌면) 아름다워 보이니까. 여행은 그런 감정을 느끼기 위해 떠나는 걸지도 모르겠다.

카메라 셔터를 꼭 누르는 순간이 있다. 멋진 풍경을 담고 싶을 때. 생경한 모습을 담고 싶을 때. 익숙한 장면인 듯하지만 익숙하지 않게 느껴지는 모습을 담고 싶을 때. 그 순간을 조금 더 선명하고, 오래 기억하기 위해 잠시 숨을 참고 셔터를 누른다. (나의 오래된 필름 카메라에 관한 이야기는 〈나, 잘 살고 있나?〉를 보면 알 수 있다)

그리고 간혹, 혹은 자주 내가 셔터를 누른 그 순간에 담긴 여러 사람을 기억한다. 피사체라고 하기엔 우연으로 담긴 사람들. 다리를 꼬고 담배를 피우는 모습. 어디로 향하는지 모를 길을 걷는 모습. 옷매무새를 다듬는 모습. 아장아장 걷는 아기의 손을 꼭 붙잡고 있는 모습. 그들의 뒷모습은 나의 우연한 피사체가 된다.

나는 그들을 모른다. 그들도 나를 모른다. 내 눈에 비친, 내 오래된 필름 카메라 속 한 장의 필름에 담긴 그들은 따뜻하고 포근하다. 엄마의 손을 꼭 붙잡은 아기도. 단정하게 매무새를 다듬은 모습도. 소리 없이 길 위를 거니는 모습도.

줄어드는 담배를 잡아 담뱃재를 터는 모습도. 그 속에 기나긴 이야기를 머금고 있는 듯하다.

이야기 한번 나눠보지 못한 그들에게서 이따금 위로를 얻는다. 그들에게서 나의 모습을 본다. 어렸을 적 나의 모습. 언제인지 기억나지 않는 어느 찰나의 나의 모습. 먼 훗날 다가올, 어쩌면 내 미래일지 모를 나의 모습. 우리는 너무 다르지만, 때때로 너무 같은 모습을 지니고 있을지도 모를 일이다. 그들로부터 전해진 이야기와 생각이 나를 위로해 줄 때가 있다.

어쩌면 나도 누군가의 피사체가 되어주었을 때가 있지 않았을까. 나의 뒷모습이 누군가에게 이야기가 되어주진 않았을까. 만약 그런 순간이 있었다면, 그들의 눈에 비친 나의 뒷모습은 어땠을까. 포근했을까. 쓸쓸했을까. 누군가의 뒷모습이 되어준다는 건 생각보다 괜찮은 순간일지 모른다. 만약 다가올 어느 순간, 내가 누군가의 이야기가 될 수 있다면 참 좋겠다. 그 순간이 그에게 위로가 된다면 더할 나위 없겠다.

사랑하는 사람의 뒷모습은 참 따뜻하다. 누군가를 사랑하고 있을 때 나의 작은 핸드폰은 그 사람의 모습과 우리들의 순간으로 가득하다. 평범함이 평범하지 않기에. 일상이 일상이 아니기에. 그 순간을 놓칠세라 급히 담는다. 가장 자주 담는 순간은 사랑하는 사람이 무언가에 열중하는 순간. 그 순간의 뒷모습이다. 사랑하는 동물이나, 사랑하는 식물의 순간을 담는 사랑하는 사람의 뒷모습을 나는 숨죽이고 담는다.

그러다 보면 어느새 나의 매일을 함께하는 작은 핸드폰은 일상이 더 이상 일상이 아니게 만들어준다. 작지만 큰 세상을 담고 있는 이 작은 물체가 전해주는 특별함을 기억한다. 누군가의 뒷모습을 담는다는 건. 어쩌면. 진실한 사랑의 표현이지 않을까. 표현이 서툰 나는. 어쩌면. 나만의 방법으로 사랑을 표현하고 있었는지도 모르겠다.

그 순간이 여행의 시절이든. 평범한 일상이든. 오늘도 잠시 숨을 고르고, 순간에 집중해, 찰나를 담는다. 그렇게 나의 시간과 나의 사랑을 기억한다.

가까운 미래에 오늘 담은 찰나가 건네줄 무던한 위로를 기대해 본다.

Good bye my 20s

ep1. 고민

나의 이십 대는 실패로 시작됐다. 누구를 탓하고 싶진 않다. 누구를 탓할 수도 없다. 그저 내 열심이 부족한 결과라 생각한다. 십수 년 동안 쌓아온 결과물을 받아들였을 때 나는 좌절했고, 또 무너졌다. 그동안 해왔던 것들이 한 장의 종이에 숫자로 적혀 내 앞에 왔을 때. 세상을 원망했다. 수년 동안 함께했던 친구들은 내로라하는 대학에 갈 때 나는 왜 이것밖에 되지 않을까. 생각하고 또 생각했다. 그리고 그 생각은 몇 년

간 이어졌다. 현실에 만족하지 못했다. 현실에
만족하지 않았다. 조금 더 공부하고, 조금 더 노
력하면 더 큰 세상이 다가올 것 같았다. 더 좋은
대학. 더 멋진 사람들. 더 좋은 직장으로 가는
길. 그 '더더더'를 충족할 줄 알았다.

하지만 더더더를 더더더 외치기엔 나의 힘이
부족했다. 사실 부족한 힘은 핑계였다. 실패 속
에 갇히고 싶지 않았다. 푸릇한 나의 이십 대 초
반을 실패로 얼룩지고 싶지 않았다. 주위를 둘
러보았다. 그제야 실패한 내가 아닌 주위를 보
았다. 나의 어떤 모습도 받아줄 것만 같은 사람
들. 단 한 번도 나를 실패자로 보지 않았던 사람
들. 그들이 있었다. 새롭게 나의 사람이 된 그들
은 언제나 내 곁에 있었다. 내가 그들을 외면하
고, 마음 안에 들이지 않았을 뿐. 그들은 언제나
나에게 힘을 건네줄 준비가 되어있었다.

조금의 빗장을 연 나의 마음에 그들은 성큼 들
어왔다. 그렇게 나의 이십 대는 몇몇의 따뜻한

사람들로 채워졌다. 실패로 시작된 어두운 이십 대가 그들로 인해 따뜻하고, 포근한 색으로 채워졌다. 새로운 사람을 만나 그들의 색을 보고, 나의 색을 채웠다. 나쁘지 않았다. 나도 더 이상 실패한 사람이 아닌 것 같았다. 새로운 곳에서 무엇이든 새롭게 시작할 수 있을 것만 같았다. 무언가 시작하기엔 더할 나위 없이 좋은 때. 혹 세상의 기준에 부합하지 않더라도 훌훌 털어 다시 일어나면 될 것 같은 때. 나중엔 치기 어린 행동이라 평가받을지언정 지금은 용기 가득한 행동이라 칭찬받을 수 있을 때. 이런 말랑하고 반짝이는 생각들을 내 마음에 차곡히 채웠다.

가득 채운 생각을 디딤돌 삼아 이곳에서도 살고, 저곳에서도 살았다. 이곳은 바다가 있어 좋았고. 저곳은 너른 들이 있어 좋았다. 또 이곳엔 이 사람들이 있어 좋았고. 저곳엔 저 사람과 함께라 좋았다. 하지만 수많은 좋음의 연속이 끊임없이 이어지기란 쉽지 않다. 연속이 연속으로 이어지기까지 그 안에는 무수히 많은 고민이 있다. 과연 해낼 수 있을까. 저곳에서 혼자 살아낼 수 있을까. 이 회사에서 버틸 수 있을까. 이 사람과 함께할 수 있을까.

  흘러가는 시간만큼이나 많은 고민이 머릿속을 가득 메우는 나날이었다. 때로는 그 고민에 함몰되어 현실을 외면했다. 현실에 외면당했다는 말이 맞을지도 모르겠다. 고민과 생각에 갇힌 시간이 길어지고 많아졌다. 고민이 길어지고, 많아질수록 얼굴은 어두워져 갔다. 겉과 속이 너무나도 투명한 나는 속의 장기가 훤히 보이는 심해어처럼 그 속을 숨기지 못한다. 숨을 헐떡거리는 모습도, 가끔은 숨기고 싶은 모습도 숨기지 못하고 드러낸다. 이런 투명함이 너무나 싫다. 나도 가끔은 완벽한 페르소나로 아무렇지 않게 세상을 살아내고 싶다. 비록 속은 검더라도 겉은 희게 살아내고 싶다. 세상은 그런 사람을 원할지 모른다는 생각을 한다. 또 생각한다. 생각의 굴레에 갇히고만 이십 대의 끄트머리에 서 있는 나다.

이제는, 과감히, 그 끈을 끊어내는 용기가 필요하다는 걸 알지만. 그게 말처럼 쉬웠다면 애초에 고민도 안 했을 테다. 그래도 이제는 겉과 속이 투명한 나를 내가 받아줄 때가 되지 않았나 생각한다. 어렸을 적부터 특별하고 싶었던 나는, 열아홉에 마주한 면접관의 입에서 나온 지극히 '평범'하다는 말에 좌절했다. 그래도 조금은 특별하지 않을까 하는 마음은 지나친 욕심이었다. 세상의 시선에 나는 평범한 유년 시절과, 무난한 학창 시절을 보낸 한 명의 '사람 1'일 뿐이었다. 이후, 특별함을 갈구하지 않기로 했다. 평범함이 얼마나 가치 있고, 어려운지 알게 되었달까.

하지만. 사람은 그리 쉽게 변하지 않는다. 가진 건 없지만 특별하고 싶은 나는 끊임없이 무언가를 생각하고, 생각을 눈에 보이게 그리기 위해 고민한다. 가끔은 그 고민 속에 갇혀 헤어 나올 수 없지만. 그래도 가까운 미래에 그간의 고민이 거름이 될 때가 올 거라 믿으며. 골똘

히, 꾸준히 고민한다. 지난 십 년을 잘 살아왔는
지. 오늘을 잘 살아가고 있는지. 다가올 새로운
십 년을 어떻게 살아갈 건지. 고민한다. 나의 이
십 대는 실패로 시작했지만. 끝은 실패가 아니
길 바란다. 다가올 새로운 시작도 실패가 아니
길 바란다.

세상의 기준으로 성공과 실패를 가름한 이십
대를 살아왔다면, 다가올 삼십 대에는 나의 기
준으로 성공과 실패를 가름할 수 있길 바란다.
시간이 지날수록 더 현실적인 사람이 된다고 한
다. 돈에 속박당하고, 평균에 들기 위해 발버둥
치는 삶을 산다고 한다. 대다수의 사람들이 그
렇게 살아가니, 우리도 그렇게 살아가는 게 '정
상'의 범주에 드는 거라 말하며. 그 범주 안에
들지 않은 사람을 배척하고 외면한다.

나는 그런 사람이 아니라고 당당히 말할 수는
없겠지만. 그래도 그런 사람으로 살아가고 싶지
는 않다는 크나큰 욕심을 부려본다. 그들의 '정

상' 범주는 그들만의 것이라 말할 수 있는 사람
이 되길 진심으로 바라본다. 이런 고민이 고민
으로만 끝나지 않길 진심으로 진심으로 바란다.
다가올 나의 삼십 대에는 고민하기보다는 힘차
게 움직이길. 다가올 나의 삼십 대에는 고민보
다 GO! 를 외치는 사람이 되길. 꿈꾼다.

ep2. 서울

서울에서 시작된 나의 이십 대는 서울에서 끝날 채비를 하고 있다. 크나큰 꿈을 품고 '그들처럼' 바쁘게 살아보겠다는 마음으로 시작된 나의 이십 대. 기자를 꿈꾸었던 그 시절의 나는, 매일 저녁 한창 뉴스에 빠져들어 갈 때쯤 새로운 시그널 음악이 나오는 순간을 싫어했다. 이제 다음 소식이 무얼까 기대 아닌 기대를 하고 있을 때. 항상 그때. 아홉 시 정각에 나오던 시그널 음악과는 사뭇 다른 그 음악. 정각에서 이십여

분 정도 흐른 뒤 나오는 그 음악을 기점으로 지방 사람과 서울 사람은 서로 다른 소식을 듣게된다. 아마 지금도 서울에서 나고 자란 사람이라면 이런 사실을 모를 수 있다.

그때부터는 내가 사는 지역에서 일어난 사건사고, 행사, 정책들이 텔레비전 화면을 가득 메운다. 그때마다 나는 이 시간 서울에선 어떤 소식을 보고 있을까 생각했다. 산 넘고 물 건너 첩첩산중 강원도에 사는 나는 이런 소식을 보고듣는다. 그럼, 주위에 빌딩이 가득하고 광화문이며 홍대며, 강남이며 누구에게나 물어도 알법한 곳에 둘러싸여 살고 있는 '그들'은 대체 어떤 소식을 보고 듣는 걸까. 수많은 노래에도 등장하는 건 오로지 서울에 있는 '어떤 곳'인 것만같았다. (홍대, 상수동, 신촌, 이대, 이태원~ 걸어 다닐 수도 없지!)

그때마다 꿈꿨다. 나도 공부 잘해서 서울 가야겠다고. 서울에서 대학 나오고, 서울에서 직장

다니면서 살아보아야겠다고. 그래서 나도 '그들처럼' 저녁 아홉 시 정각부터 다음 정각이 될 때까지 끊기지 않고 메인 뉴스를 보고 싶다고 말이다. 생각했고, 기대했던 것에는 미치지 못하지만, 어찌어찌 서울에 입성한 나는 시골 쥐 티를 벗기 위해 애썼다. '그들'보다 더 '그들'처럼 보이고 싶었다. 내가 텔레비전과 영화, 노래에서 보고 들었던 곳에 가 보았다. 비록 그곳에 은하수 다방은 없었지만, 교복 입던 시절 듣던 노래의 한가운데 서 있는 것 같았다.

그렇게 시골 쥐 티를 벗고 서울 쥐가 되는 듯했다. 하지만 세상은, 서울은 그리 호락호락한 곳이 아니었다. 내가 그동안 보고 들어왔던 것보다 더 크고, 더 바쁘고, 더 살기 벅찬 곳이 서울이었다. 원룸에서 시작한 서울살이는 두 평도 채 안 되는 고시원으로 이어졌다. 사실 이름은 고시원이 아닌 고시텔이었다. 원이든 텔이든 그곳은 머리 위엔 수많은 옷가지들이. 눈앞엔 투명한 유리로 둘러싸인 변기와 그 위에 샤워기.

조금 고개를 돌리면 빽빽이 놓인 책을 감당하고 있는 책상과 모니터, 그리고 작디작은 옷장이 전부인 관짝 같은 곳이었다. 부담스러운 보증금과 월세에 옮긴 그곳은 몸도 마음도 불편했다.

분명 금연시설이지만 웬만한 흡연시설보다 자유로운 흡연이 가능했다. 밤에는 통화를 자제해달라는 안내 문구가 곳곳에 쓰여있었지만, 밤이 되길 기다리는 듯한 통화는 내 방 양옆을 가득 메웠다. 나는 당신들의 연애사에 관심이 없다. 당신들이 싸우건 화해하건 눈물 흘리건 쪽쪽거리건 그건 나의 관심사가 아니다. 그렇게 소리치고 싶었지만, 나만큼은 밤에 조용하고 싶어 참고 또 참았다. 작은 관짝에서의 삶은 육 개월을 채우고 지금까지 다시 들어가 본 적은 없다. 고시원. 아니, 고시텔에서만 나는 특유의 냄새와 분위기는 그곳에 살아본 사람만이 알 수 있다. (만약 그 냄새와 분위기를 알지 못한 채 살아가고 있다면 당신의 과거와 오늘에 감사하길 바란다)

인생에서 가장 긴 육 개월을 보낸 나는 네 명의 남자가 두 개의 이 층 침대를 마주하고 사는 작은 공간으로 들어갔다. 학교가 작아 그런지 기숙사도 작았고, 방도 작았다. 모든 것은 공용이었다. 냉장고도. 전자레인지도. 샤워실도. 삶을 살아내기 위해 써야만 했던 모든 곳과 모든 것은 공용인 그곳에서 가장 긴 시간을 보냈다. 처음엔 모든 게 어색하고 불편했지만, 나에게 마음을 열고, 나도 마음을 연 그들과 함께하는 매일이 따스했고 즐거웠다. 내가 서울에서 가장 편안하게 보냈던 그 시간, 함께했던 그 사람들은 모두 서울이 아닌 지방에서 올라온 사람들이라는 게 참 아이러니하지만. 그래도 그때의 시간은 어느 때보다 행복했다.

하지만 그 행복은 학기 중에만 이어졌다. 기숙사를 쓸 수 없었던 방학에는 선배 형의 집에서 하숙도 했다. 그뿐인가. 남자 넷이 지하철 사호선 끝까지 올라가는 것도 모자라 그곳에서도 언덕을 올라 빌라 가장 위층 옥탑방에서 에어컨도, 세탁기도 없이 한여름을 보내기도 했다. 매일을 오르고 또 오르지만, 서울을 향한 내 꿈은 매일 같이 내려가고 또 내려가는 나날이었다.

　'그들처럼' 사는 게 쉽지 않다. 애초에 나는 '그들'이 될 수 없었던 걸까. '그들'은 나와 뭐가 달라서 서울에서도 편안한 집에서 밥을 먹고, 편안하게 차를 타고 출퇴근을 할 수 있는 걸까. 물론 '그들'도 나름의 고충과 힘듦이 있겠지만, '그들'의 삶을 살아본 적 없는 나는 '그들'의 마음속까진 헤아릴 수 없다.

　이제 나의 이십 대는 끝자락에 다다른다. 십 년을 이곳에 터를 잡고 살고 있다. 대충 살지 않았다. 내게 주어진 건 누구보다 열심히 했고, 내게 주어지지 않은 것도 열심히 했다. 잠깐 지쳐 쉬긴 했어도, 그 자리에 주저앉진 않았다. 쉬고 있을 때마다 누군가 손을 내밀어 주었고, 나는 그 손을 붙잡아 다시 또, 또, 또 열심히 또 열심히 살았다. 그렇게 스물아홉이 된 나는 여전히 오평 남짓한 작은 원룸에서 하루를 시작하고 마무리한다.

그마저도 땅 위가 아닌 반쯤 땅속에 있는 작은 방에서. 도대체 어디서부터 잘못된 걸까. 아니 어쩌면 이것은 잘못이 아닐지 모른다. 어쩌면 나는 서울이라는 이곳이 맞지 않는 신발일지 모른다는 생각을 십 년이 지난 요즘 자주 하게 된다. 맞지 않은 옷을 입는다 해서 피가 나진 않는다. 조금 큰 옷은 헐렁하게. 조금 작은 옷은 타이트하게 입으면 된다. 물론 불편하겠지만, 입을 수는 있다.

하지만 맞지 않는 신발은 다르다. 조금이라도 작은 신발은 내 발을 옥죄어 서 있지도 못하게 한다. 조금이라도 큰 신발은 쿨럭거려 한두 걸음 걷다 이내 벗겨지고 만다. 어쩌면 서울은 나에게 너무 조이고 딱딱해 발바닥이 아프고, 상처 내는 신발일지 모른다. 어쩌면 서울은 나에게 너무 커 아무리 두꺼운 양말을 신고, 끈을 조여도 이내 벗겨지고 마는 신발일지 모른다.

그런 생각을 십 년이 지난 요즘. 매일 하게 된
다. 과연 서울은 기회의 땅일까. 과연 서울은
'나에게' 기회의 땅일까. 내가 서울에 산다 해서
'그들'이 될 수 있을까. '그들처럼' 사는 게 좋은
걸까. 내가 서울을 벗어나 다른 곳으로 가면 실
패한 사람이 되는 걸까. 서울이 정답일까. 그럼
다른 곳은 다 오답인 건가. 정답인 곳은 있나.
굳이 정답을 찾아야 하는 건가. 찾으면 그다음
은. 그다음은 아무런 문제도 없을까.

그런 생각을 십 년이 지난 요즘.
매일 하게 된다.
과연 서울은 기회의 땅일까.

과연 서울은
나에게
기회의 땅일까.

ep3. 사람

나의 이십 대는 수많은 사람으로 채워졌다. 지금도 채워지고 있다. 그들이 나에게 어떤 사람인지, 내가 그들에게 어떤 사람인지. 다시금 돌아본다. 나를 조금 아는 사람이라면, 한번 흘러간 인연에 얽매이지 않는 사람이라 생각할 테고. 나를 조금 더 아는 사람이라면, 그 인연이 왜 흘러갈까 고민하는 사람이라 생각할 테고. 나를 잘 아는 사람이라면, 한 명의 인연에 수도 없이 얽매이며, 혹 흘러갔다면 뒤돌아서 왜 흘러가냐 소리치는 사람이라는 걸 잘 알 것이다. 그렇다. 뭐든 쿨하게 버리고, 다시 새로 사면 그만이라 생각하는 사람처럼 보이지만. 브랜드가 유명하지 않고, 가격이 비싸지 않은 신발이라도 나에게 꼭 맞는다면 해질 때까지 신는 사람이 나고. 스무 살 때 찍은 사진 속 입은 옷이나 서른을 바라보는 지금 찍은 사진 속 입은 옷이 같은 사람이 나다.

나에게 꼭 맞는다 생각하면 그 모양새가 어찌 변하든, 낡든, 해지든, 그건 중요치 않다. 그저 내 곁에 있어 주기만 한다면. 그렇다면 좋겠다 생각하는 게 나다. 십 년의 이십 대를 살아가면서 나에게 다가온 사람들은 무수히 많다. 동시에 내가 다가간 사람도 무수히 많다. 셀 수 없이 많은 사람 속에서 서로 마음을 활짝 열어 거짓 없이 상대를 대한 사람은 몇이나 될까. 아마 그 사람은 셀 수 있을 것 같다. 두 손이 모두 필요한지. 한 손이면 충분한지 조금 고민해본다. 슬프게도(?) 한 손. 다섯 손가락이면 충분할 듯하다. 그래도 이게 어딘가. 거짓 없이 상대를 대하는 게 말이 되나 싶은 세상에 다섯 손가락으로 그런 사람을 셀 수 있다는 게 말이다.

그런데 가끔. 다섯 손가락으로 세는 그 사람들조차 나에게서 떠나갈 것만 같은 두려움에 빠지곤 한다. 나의 모남에 찔리고, 다쳐 혹시 떠나가지 않을까. 그들도 저들처럼 나를 두고 가버리진 않을까 하는 두려움. 공포에 빠진다. 내가 혼자되진 않을까. 기쁜 일이 있을 때 함께 나눌 사람이 영영 사라지진 않을까. 슬픈 일이 있을 때 함께 슬퍼해 줄 사람이 단 한 명도 없어지는 건 아닐까 하는 생각. 그런 생각이 가끔. 꽤 자주든다. 사람 인연이라는 게 마음처럼, 뜻처럼 되는 게 아니라고 한다. 이어질 것 같은 인연도 그저 스쳐 지나갈 수 있고. 평생 함께할 것 같은 사람도 어느 순간 나도 모르는 이유로 끊어질 수 있는 것. 때로는 그 반대일 수도 있는 것. 그게 사람이고. 그게 인연이라 한다.

이런 말을 보고, 들을 때마다 내 마음은 쿵 하고 내려앉는다. 그리고 그 마음이 다시 위로 올라오기까지는 길고 긴 시간이 걸린다. 때로는 올라올 생각조차 하지 않아, 저 깊은 곳에 웅덩이를 파 고여 있다. 한번 고인 마음은 흔들림 없이 가만히. 또 가만히 그곳에 자리한다. 고요해 보이지만, 고요하지 않은 모습으로. 아무렇지 않아 보이지만, 아무렇지 않은 게 아닌 모습으로. 한동안 자리한다. 그리고 그 고요한 웅덩이는 더욱 깊게 스미고 스며, 마음 한편에 지워지지 않는 흔적으로 남게 된다. 이렇게 내 마음엔 새로운 웅덩이가 생기는구나. 이리 파이고, 저리 파인 마음의 웅덩이들을 언제 다 메울까. 메울 수는 있을까. 메우면 다시는 이 자리엔 웅덩이가 생기지는 않겠지. 하는 막연한 기대를 품어본다.

사람은 사람에게서 힘을 얻는다. 사람은 사람과 함께 있을 때 빛이 난다. 사람은 사람을 위로할 줄 알아야 한다. 사람은 사람에게 위로받을

줄 알아야 한다. 사람은 사람을 사랑할 줄 알아
야 한다. 사람은 사람에게 사랑받을 줄 알아야
한다. 그래야 비로소 사람은 사람이 된다. 그렇
게 믿고 또 믿는다. 나에게 힘을 준 사람들. 나
에게 빛이 되어준 사람들. 나를 위로해준 사람
들. 나를 사랑해준 사람들. 지금 이 순간 몇몇의
얼굴이 떠오른다. 그리고 호흡을 가다듬고 떠오
른 얼굴을 배경 삼아 생각한다. 내가 그들에게
힘을 주었나. 내가 그들에게 빛이 되었나. 내가
그들에게 위로를 주었나. 내가 그들을 사랑했
나. 내가 받은 만큼, 그들에게 주었나. 혹 나만
받기만 한 건 아닌가. 하는 생각을 해본다.

　이십 대의 나는 염치없게도 준 것보단 받은 게
많다. 밥도. 위로도. 사랑도. 주기보단 받은 게
몇 곱절은 더 많다. 더 많다는 말로도 모자라다.
항상 받기만 했던 걸지도 모른다. 그렇게 주기
만 하는 사람들의 얼굴을 떠올려본다. 하나같이
고맙고 또 미안한 얼굴들. 당신들이 아니었다면
오늘의 나는 없겠지. 당신들이 건네준 따스한

말과 따뜻한 위로가 없었다면 아마 나는 무너지고 말았을 거야. 넘어져 다시 일어설 생각조차 하지 않았을 거야. 아마 그랬을 거야.

사람을 사랑하는 일을 어려워한다. 무언가 하기 전에 지레 겁부터 먹는다. 혹시 내 말이, 내 행동이 당신에게 무례하진 않을까. 혹시 내 표정이 당신에게 상처가 되진 않을까. 하는 생각들이 사랑보다 앞선다. 내가 받은 것보다 덜 줄까 봐. 혹은 내가 받은 것을 너무나 당연하게 여기는 사람이 될까 봐 두려워 마음의 빗장을 꼭 닫아 열지 않는다. 더 이상 상처 주지도, 상처받지도 않고 싶은 나의 최후의 수단이랄까.

이런 내 방법이 틀린 거라는 걸 알면서도. 어리고, 어리숙했던 이십 대의 나는 틀린 그 방법을 손에 쥐고 놓지 않았다. 이거라도 놓으면 큰일 나는 줄 아는 어린아이처럼. 이게 내가 가진 '나를 지키는' 유일한 '무기'인 것처럼. 사실 그게 아니란 걸 알면서도, '나를 지키는 유일한 무기'인 그것을 놓지 않았던, 조금은 슬픈 이십 대를 끝마치고 있다.

이십 대가 끝나고 삼십 대가 된다고 해서 크게 달라지는 건 없다. 동쪽에서 뜨던 해가 서쪽에서 뜬다던가. 여름에 한강 물이 얼어버린다던가. 하는 '큰 일(혹은 믿기지 않는 일)'이 일어나진 않는다. 삼십 대의 첫날이 밝은 날에도 어제와 다름없이 씻고, 밥 먹고, 일하고, 다시 씻고, 침대에 누워 잠이 들 것이다. 그렇게 첫날이 지나고 둘째 날, 셋째 날이 지나면 어느새 또 한 해가 지나가 있을 것이다. 그리곤 "아 벌써 내가 서른한 살이라니!" 외치게 될 테다.

과연 그때. 나에게 주어진 나의 사람은 누구일까. 나는 누구에게 주어질 수 있을까. 서로 마음을 활짝 열어 거짓 없이 대화할 수 있을까. 걱정과 기대를 해본다. 지금 머릿속에 떠오르는 다섯 손가락의 사람들이 그때에도 떠오르길 바란다. 매번 받기만 하고, 부족한 나를 생각해주고

챙겨주는 그 사람들이 잊히지 않길 바란다. 그
리고 그 사람들에게 이제는 내가. 챙겨주는 사
람이 될 수 있길 더더욱 바란다. 받기만 했던 나
의 이십 대를 지나, 내가 지니고 있는 것을 흔쾌
히 나눌 수 있는 삼십 대를 바라본다. 혹 나에게
없다면, 주위를 둘러보고 있는 힘껏 찾아 함께
나눌 수 있는. 그런 내일이 찾아오길 바라본다.

사람은 사람에게서 힘을 얻는다.
사람은 사람과 함께 있을 때 빛이 난다.
사람은 사람을 위로할 줄 알아야 한다.
사람은 사람에게 위로받을 줄 알아야 한다.
사람은 사람을 사랑할 줄 알아야 한다.
사람은 사람에게 사랑받을 줄 알아야 한다.

그래야 비로소 사람은 사람이 된다.

ep4. 사람_2

"야 용진아~ 뭐하냐~"

"아 저 이제 퇴근하고 집 가고 있어요! 아까 일 하느라 전화를 못 받았어요. 어디세요 쌤?"

"나도 이제 집 간다~"

"쌤 술 마셨죠? ㅋㅋㅋ"

"야 그래 좀 마셨다~ 아니 근데 야 너 회사생활 잘했나 보다? 아니 야 오늘도 너 얘기 많이 나왔 어~ 뭐냐? 야~ 원용진이~ 아니 근데 야~ 그래 도 먼저 연락하는 건 나밖에 없지? 인마~ 야~

어디냐? 집이냐?"

"오~ 제 얘기 나왔어요? 좋네요 ㅎㅎ 저 지금
집 가고 있어요~"

"그래그래~ 너 얘기 많이 했다 야. 그래서 너 어
디라고?"

아마 핸드폰에서 상대방의 냄새가 나는 기술
이 있었다면. 이 순간만큼은 소주 냄새가 가득
했을 것이다. 그는 얼큰하게 취했다. 얼큰하게
취한 그의 입에서 나온 이야기는 꽤나 뜨끈했
다. 그리 길지 않은 시간 몸담았던 이전 회사에
서 함께 일한 직장동료. 같은 과, 같은 팀에서
울고 웃으며 보냈던 일 년을 뒤로하고. 나는 그
곳을 나왔다. 그곳을 나온 이유야 여럿 있겠지
만. 적어도 그곳에서 일 년을 살아낼 수 있었던
건. 가끔 이렇게 전화해 안부를 묻는 그. 그리고
그와 함께 술자리를 가진 그들 덕분이다. 충분
히 잊으려면 잊을 수 있는 시간이 흘렀다. 하지
만 그들은 잘 지내냐며, 지금 하는 일은 적성에
잘 맞냐며 연락해 온다. 먼저 연락하지 않는 나

를 타박하면서도. 이제는 꼭 하고 싶은 일을 찾아 즐겁게 지냈으면 좋겠다는 그들의 말속엔 얼큰하고 뜨끈한 진심이 있다.

퇴사를 고민했을 때 나에게 힘이 되어주었던 사람들이 있다. 힘을 주던 방법은 모두 달랐지만, 분명 그들과 그들의 말은 나에게 힘이 되었다. 누군가는 조금만 더 버텨보자 말하며 힘을 주었다. 또 누군가는 정말 하고 싶은 일을 찾아 그만두는 게 낫지 않겠냐 말하며 힘을 주었다. 그리고 또 누군가는 짧은 시간에 너무 많은 일을 하고, 너무 많은 일을 겪고 있다며 어깨를 토닥여 주었다. 그들의 말과 그들의 행동은 모두 달랐다. 하지만 그들은 모두 나에게 힘이 되었다. 언제나처럼 나는 항상 받기만 한다. 힘들어하는 막내 직원의 모습을 저마다의 방식으로 위로하고 보듬어 주었던 그들이 없었다면. 나의 첫 사회생활이자, 첫 직장인 그곳에서의 기억은 지금과는 전혀 다르게 그려졌을 것이다.

분명 나는 힘들었다. 매일 같이 남들보다 한두 시간 일찍 출근했다. 그리고 매일 같이 남들보다 한두 시간. 그보다 훨씬 더 늦게 퇴근했다. 그래도 끝나지 않아 주말도, 그다음 주말도 출근했다. 매일이 지옥이었다. 두통약과 소화제 없이는 단 하루도 버틸 수 없었다. 하루 시작을 약으로 하고 하루 끝을 약으로 했다. 일요일이면 잠자리에 들지 못했다. 다음 날 해야 할 일들이 머릿속에 가득해 잠을 설치다 결국 일어나 노트북을 열어 할 일을 정리하던 시간이 이어졌다. 그런 매일을 버티다 결국 나는 무너졌고, 그렇게 그곳을 떠났다.

나만 힘들었다 생각지 않는다. 나보다 더 힘든 동료들. 나보다 더 힘들었던 선배들이 있을 테다. 하지만 그때의 나는 너무 지쳤다. 내 속사정을 모르는 옛 친구들에게 세상일은 네가 혼자 다 하는 줄 알겠다는 핀잔을 들어가면서. 연락 한번 없다. 만나는 게 뭐 이리 힘드냐. 너만 힘든 거 아니라는 말을 들으면서. 그렇게 매일을 일 속에 파묻혀 지냈다. 모든 걸 잃는 듯했다. 모든 걸 잃었다 생각했다. 몸도 마음도 잃고. 사람도 잃었다 생각했다. 내가 무얼 얻으려 이렇게까지 울며불며 일을 해야 하는 걸까 매일 출근길에, 퇴근길에 스스로 되물었다.

그때마다 항상 내 이야기를 들어주던 게 얼큰하고 뜨끈한 이야기를 건네던 그였다. 그리고 그와 함께 나의 이야기를 했던 그들이었다. 그들 덕분에 나는 힘들기만 했다고 느꼈던 나날들을 살아낼 수 있었다. 그리고 오늘. 그들 덕분에 지난 나의 시간이 힘들기만 한 시간은 아니었다고 되돌아볼 수 있게 되었다. 힘들면 힘들다고 이야기해도 된다고 말했던 그들 덕분에 나의 힘듦이 덜어졌었다. 지금도 충분히 잘 해내고 있다고 말했던 그들 덕분에 새로운 하루를 살아낼 수 있었다. 만약 그들이 없었다면. 그 사람들이 없었다면 오늘의 내가 있었을까. 오늘 내가 그때의 시간을 아름답게 바라볼 수 있었을까. 다시 한번 생각한다.

존재만으로 힘이 되는 사람이 있다. 가족. 친구. 동료. 그밖에 어떤 형태의 인연이든. 존재만으로도 든든한 힘이 되어주는 존재는 분명. 있다. 그리고 언제나처럼 이기적인 나는. 그들이 항상 내 곁에 있어 주길 바란다. 한결같이 내 곁에서 든든한 존재가 되어주길 꿈꾼다. 가능하긴 할까 고민하다가도 이내 고민을 멈춘다. 그런 고민이 되려 그들을 떠나보내게 하는 건 아닐까 해서 이내 멈춘다. 지금 떠오르는 얼굴들이 있다. 이 사람. 아 그래 이 사람도. 음 이 사람도 있지. 참참 이 사람도 있다. 없을 것 같다가도 문득 떠오르는 얼굴들. 오랜 시간 알고 지냈던 친구부터. 여행지에서 잠깐 만난 사람까지. 그 시간은 중요하지 않다. 짧든 길든 서로 마음을 터놓고 이야기한 얼굴들은 잊히지 않는다. 그리고 그 얼굴들은 존재만으로 힘이 된다.

그동안 표현이 서툴다는 이유로 고맙다는 말을 입 밖으로 내뱉지 않았다. 고맙고 또 고마운 사람들인데도, 그 말 한마디 하는 게 어색하다

는 핑계를 방패 삼아 지내왔다. 다가올 삼십 대
에는. 아니, 다가올 나의 이십 대 막바지에는 조
금은 서툴더라도 입 밖으로 내뱉으려 한다. 내
곁에 든든히 있어 주어 참 고맙다는 말. 먼저 연
락하지 않아도 서운해하지 않고 되레 더 먼저
연락해주어 고맙다는 말. 지치고 힘들어할 때
무거운 짐을 함께 들어주어 고맙다는 말. 도울
수 있는 건 모두 돕겠다 말해주어 고맙다는 말.
그동안 마음속에 묵혀 두었던 고맙다는 말을 이
제는 툭 내뱉고 싶다.

　뭐든 처음이 어렵지 두 번째는 쉽다 했다. 한
번 말하기 시작하면 또 한 번, 그다음 한 번은
익숙해지지 않을까. 그런 한 번이 모이고 또 모
이다 보면 나도 조금은 성숙해지지 않을까. 그
럼 언젠가 나도 그들에게 존재만으로 힘이 될
수 있는 사람이 될 수 있지 않을까. 아득히 먼
훗날의 이야기인 것 같고 보이지 않는 흐릿한
모습인 것만 같은 나의 모습을 꿈꿔본다. 너무
늦지 않게, 조금은 또렷한 모습으로 존재하고

싶다. 그래서 나도 당신들에게 존재만으로 위로
가 될 수 있는 사람이 되고 싶다. 매일 함께하지
않아도 문득 내 얼굴이 떠오를 때. 그때 당신의
얼굴에 편안한 미소가. 안도가. 위로가. 함께했
으면 좋겠다.

당신의 존재가 나에게 힘이 되어주어 고맙다.
나의 존재가 당신에게 힘이 되었으면 좋겠다.
우리의 얼굴에 편안한 미소가. 안도가. 위로가.
함께했으면 좋겠다.

ep5. 여행

내가 나 다워 지는 순간. 다른 사람의 시선은 신경 쓰지 않고. 나의 시선에만 집중하는 순간. 짧지만 그 순간들은 모여 나를 이룬다. 짧으면 짧은 대로. 길다면 긴 대로. 돈이 여유 있다면 여유 있는 대로. 그렇지 않다면 그렇지 않은 대로. 잠시 익숙한 공간을 떠나 새로운 공간으로 향하는 순간에는 그리 많은 조건이 필요하지 않다. 여행 후에는 그곳에서 얻은 새로움을 마음속에 가득 품고 다시 일상의 공간으로 돌아온다. 익숙함 위에 새로움을 얹는다. 섞이는 듯하면서도 섞이지 않는 그 둘은 언제나 내게 자극이 된다.

나의 이십 대는 그 순간들이 모여 만들어졌다. 역마살 아니냐는 이야기까지 들어가며 참 많은 곳을 다녔다. 그 순간들은 단순히 여행이기도. 여행을 넘어선 것이기도 했다. 서울에서 시작된 스무 살의 시작은 여행의 시작이기도 했다. 아는 사람 한 명 없는 도시에서 살아가는 건 꽤나 고되지만. 나의 이십 대 여행 중 가장 긴 호흡의 여행이기도 하다. 그 끝이 언제인지 알 수 없는 여행. 이 여행은 지금도 진행 중이다.

긴 호흡의 여행 속엔 짧은 호흡의 여행도 있었다. 강원도 맨 끝. 가장 북쪽에서 시작되고 끝난 여행. 그 여행은 모두 다 같은 옷을 입고. 같은 곳에서 자고. 같은 음식을 먹고. 같은 일을 하는 곳에서 이루어졌다. 인생에 단 한 번뿐인 그 여행은 꽤나 힘들었는데. 그래도 그때 그곳에서 만난 풋풋한 시절의 친구들과 가끔 연락해 무용담을 나누다 보면 힘들었던 기억도 어느새 잊히고 만다. 모든 것이 같은 그곳에서 모든 것이 다른 사람이 모여 이년의 시간을 보낸다. 말이 되나 싶지만. 모든 사람이 그렇게 살아냈으니 말은 된다. 잊고 싶지만은 않은 기억들이 쌓인 그 짧은 여정은 푸릇한 나의 이십 대 한편에 여전히 자리한다.

강원도 북쪽 끝에서의 시간은 앞으로 어떤 여행을 떠날지 고민하게 했다. 다시 긴 호흡의 여행으로 돌아가야 할까. 아니면 새로운 짧은 호흡의 여행을 떠나볼까. 그도 아니면 잠시 여행을 멈출까. 그리 길지 않은 시간 동안 고민한 후, 나는 새로운 짧은 호흡을 택했다. 북쪽 끝을 경험해봤으니, 이번엔 남쪽 끝으로 가볼까? 하는 단순하고 명쾌한 마음으로 새로운 여행을 떠났다.

말의 모양새가 생각보다 많이 달라 처음엔 당

황했다. 분명 이들은 화난 게 아닐 텐데 왜 화를
낼까. 내가 무얼 잘못한 건가. 내가 우스워 보이
나! 하는 마음이 가득해 길을 걸을 때면 약해 보
이지 않으려 인상도 세게 찌푸리고 걸었다. 그
래 봐야 얼마나 세 보였겠나 싶지만, 그때는 그
게 나를 지키는 최선의 방법인 줄 알았다. 하지
만 그들은 당연히 화가 난 게 아니었다. 그저 조
금은 더 솔직하고 더 거친(?) 그들의 표현법에
익숙해졌다. 시간이 흐르면 자연스레 해결되는
것이 있다는 걸 이때 알게 되었다.

그곳에서 지낸 일 년여의 시간은 꽤 농밀했다.
소중한 사람을 얻고, 또 소중한 사람을 잃기도
했다. 사람의 연이라는 게 마음먹는 대로 되지
않는다는 것. 가까워지고 싶어도 가까워질 수
없는 사람이 있다는 것. 끝을 내고 싶지 않지만,
그 누구의 탓도 아닌 것으로 함께 끝을 내고 마
는 사람이 있다는 것. 그런 것들을 배웠다.

그리고 그 배움은 나에게 새로운 여행을 떠날

수 있는 연료가 되었다. 북쪽 끝도 살아보고, 남쪽 끝도 살아봤으면 우리나라는 이만하면 됐다. 이제 바다 좀 건너보자. 그래서 조금 더 먼. 조금 더더더 먼 곳으로 떠났다. 말의 모양새가 아닌 말이 다른 곳. 사람들의 피부색과 머리 모양, 입는 옷, 먹는 음식. 그 무엇할 것 없이 모든 것이 내가 알던 것과 다른 곳. 이국에서의 여행은 계획된 듯하지만 계획되지 않은 형태로 시작되었다.

혼자 한번 살아봤으니 이쯤이야 껌이지! 하는 마음을 품었던 스스로를 탓하며. 일에 치이고 사람에 치이던 이국에서의 초반은 참 고됐다. 말이라도 통하면 찡찡대기라도 할 텐데. 말도 통하지 않으니 모든 근심 걱정은 내 속으로 향했다. 당장이라도 여행을 끝마치고 싶었지만, 그러기엔 난 너무 욕심이 많았다. 힘들게 떠나온 여행을 쉽게 포기하고 싶지 않았다. 말이 통하지 않으면 통할 때까지 공부했다. 그들이 하는 말을 이해할 수 있을 때까지. 내가 그들에게 하고 싶은 말을 할 수 있을 때까지. 매일을. 그렇게 살았다. 조금씩 트이고 들리던 그때의 희열은 지금도 또렷하다.

말이 통하니 하고 싶은 게 많아졌다. 가보고 싶은 곳도, 먹어보고 싶은 것도, 해보고 싶은 것도 많아졌다. 망설이지 않았다. 가보고 싶은 곳은 갔다. 먹어보고 싶은 것은 먹어보았다. 해보고 싶은 것은 해 보았다. 그리고 그 모든 경험을 기록했다. 이대로 흘려보내기엔 너무 소중해서 내가 할 수 있는 가장 적극적인 기억법으로 말이다. 글은 사진처럼 직관적이지 않지만 솔직하다. 글은 영상처럼 화려하지 않지만 선명하다. 글은 쓰기에도, 읽기에도 여러모로 불편한 수단이지만. 어느 것보다도 솔직하고 선명하게 나의 기억을 기록할 수 있겠다 싶었다. 그래서 나만의 방법으로 기록했고 그 기록은 종이에 입혀져 한 권의 책이 되었다.

이국에서의 일 년을 기록한 한 권의 책을 품

고, 서울로 돌아와 다시 긴 호흡의 여행을 시작했다. 미뤄두었던 졸업. 취업. 그리고 퇴사. 쉽지만은 않았던 과정을 마무리하며 이것도 기록으로 남기면 좋겠다 싶었다. 언제나처럼 내가 할 수 있는 최선의 방법으로. 그렇게 이십 대 마지막 즈음의 기록들은 종이에 쓰이고 담겨 또 다른 한 권의 책이 되었다. 내가 정말 잘 살고 있는지. 이대로 사는 게 맞는 건지. 이 방향이 맞는 건지 매 순간 고민하던 나의 모습을 그대로 닮은 책 한 권이 세상에 나왔다.

많은 사람들이 잘 살고 있는 거라 말해주었다. 이렇게 열심히 사는 사람이 또 어디 있겠냐며 다독였다. 그들의 말과 마음이 힘이 되었다. 하지만 나는 과거의 내가 남긴 나의 글로부터 가장 크고 확실한 응원을 받았다.

해결할 수 없을 것만 같은 고민과 생각들로 쓰인 투박한 그 글이 지금의 나에게 "잘 살고 있다!" 이야기해주는 것 같았다. 꼭 빠르지 않아도 괜찮다 이야기해주는 것 같았고. 남들과 같은 길을 가지 않아도 괜찮다 이야기해주는 것 같았다. 그리고. 이미 너는 네가 하고 싶은 것과 가고 싶은 길을 알고 있지 않냐며. 더디더라도 그 길로 여행하라 이야기해주는 것 같았다. 내가 나에게 말이다. 나를 외면하지 말라고. 남에게 맞추지 말라고. 있는 그대로도 충분하다고. 그렇게 이야기해주는 것 같았다.

나의 이십 대 여행은 이제 곧 끝이 난다.

여행은 집으로 돌아오기 위해 떠나는 거라 한다. 집을 버리고 아예 떠나버리면 그건 여행이 아니다. 조금 돌아가고 멀리 가더라도 다시 돌아갈 집이 있어야 그 시간을 여행이라 부를 수 있다. 나의 이십 대는 나로 시작돼 나로 돌아가고 있다. 그리고 그곳에서 다시 출발하기 위해 움찔움찔하고 있다. 다가올 서른은 어떤 여행이 될까. 어떤 이야기가 쓰일까. 그리고 그 이야기들이 모여 어떤 책이 될까. 움찔움찔하고 있다.

내가 나 다워지는 순간. 다른 사람의 시선은 신경 쓰지 않고. 나의 시선에만 집중하는 순간. 짧지만 그 순간들은 모여 나를 이룬다. 그리고 나는 새로운 순간을 마주하고 있다. 새로운 나를 이룰 새로운 순간. 조금 떨리지만, 많이 기대된다.

다가올 서른은
나에게 어떤 여행이 될까.

ep6. 직업

"직장이 아니라 직업이 갖고 싶어요."

며칠 전 내 귀에 들어와 아직도 마음속에 남겨진 한마디. 우연히 TV 채널을 돌리다 들린 그 한마디는 무거운 진심이었다. 아마 나도 같은 생각을 품고 있기 때문일까. 그래서 잊히지 않고. 지금껏 기억하고 있는 것일까. 내 입으로 내뱉지 못한 나의 진심을 다른 사람의 입을 통해 들으니 오히려 안심이 됐다. 나만 그런 게 아닌 것 같아 다행인. 그런 기분이었다.

직장을 갖는 것과 직업을 갖는 건 같은 듯하지만 너무나 다르다. 직장이 아닌 직업을 가진 사람은 온전히. 오롯이 홀로 설 수 있다. 설사 지금 속한 직장을 나오더라도 온전히. 그리고 오롯이 자신의 삶을 살아낼 수 있다. 잠시 숨 고르는 시간이 있을지라도. 언제든 새롭게 시작할 수 있는 힘이 있다. 확신이 있다. 자신감이 있다. 스스로 쟁취하고 그것을 지켜낼 줄 안다.

매장 바 안에 있으면 듣고 싶지 않아도 들리는 말들이 많다. 흘러 다니는 많은 말 중. 왜 하필 그 말이 내 귀에 들어왔을까. 그는 이런저런 이야기를 했다. 그리고 공교롭게도 내 이전 직업과 현재 직업을 아주 가벼이 여기는 말을 아주 가볍게 했다. (이런 우연이? 어떻게 딱 그 두 개를?) 그냥 흘러가게 두면 될 것을 나는 흘려보내지 못했다. 항상 가벼운 말은 무겁게 다가오기 마련이다. 어떤 표현을 했는지는 굳이 적고 싶지 않다. 나에게 한 말도 아닐뿐더러, 정말 큰 생각 안 하고 가볍게 한 말일 테다. 다만, 누군 가는 그 직업을 위해 수년간 치열하게 공부하고 자격을 얻는다는 것. 그 이후엔 더 치열하게 살 아간다는 것. 그리 가벼이, 쉽게 여길만한 직업 이 아니라는 것. 이것을 그에게 마음속으로 수 천 번 이야기했다.

의연하고 무던한 어른이 되는 건 역시 어렵다. 한마디에 기뻐하고 한마디에 슬퍼하는 나다. 내 진심을 대신 듣게 해 준 TV 속 그 한마디엔 안 도하고 기뻤다. 기쁨을 느낀 지 얼마 지나지 않 아, 나의 과거와 현재를 손쉽게 뭉개 버린 그의 한마디엔 분노했고 슬퍼했다. 가볍게 듣고 멀리 흘려보낼 건 흘려보내야 하는데 그게 참 어렵다.

나의 이십 대는 직업을 찾기 위한 시간이었다. 내가 무엇을 좋아하는지. 무얼 할 때 행복한지 찾는 시간이었다. 그리고 아직 그 시간은 오늘 까지도 이어지고 있다. 바 안에서 그 이야기를 들었을 때 의연하지 못했던 건. 아마도 그간의 내 시간을 무시받았다 느꼈기 때문일 테다. 아무런 관계도 아닌 한 사람이 아무런 생각 없이 내뱉은 한 마디에, 치열하게 고민하고 치열하게 살아온 나의 이십 대가 짓밟혔다 생각했을 테다. 그때의 나는 그렇게 생각했을 것이다. 지금 다시 생각해보면. 그냥 흘러가게 두고 무시하면 그만인 말이었는데. 굳이 날아가는 말을 놓칠세라 꼭 붙잡아 듣고 말았던 그때의 내가 괜스레 가엾다.

아직 나는 어리다. 나에 대한 확신도. 나의 직업에 대한 확신도 부족하다. 부족한 확신의 틈을 비집고 들어선 의심이 조금씩 쌓여 불신을 만든다. 내가 보내온 시간. 들인 노력. 경험. 고민 같은 것들을 믿지 않게 된다. 그렇게 스스로를 믿지 않는다. 언제쯤, 그리고 어떻게 해야 그 틈을 메울 수 있을까.

다른 이의 말에 흔들리지 않도록 철옹성까진

아니더라도 낮은 담장 정도는 쌓고 싶다. 내가
선택했던 그 시간이. 내가 선택한 지금이. 송두
리째 흔들리지 않도록 조금은 의연하고 무던하
게. 그리고 단단하게 말이다.

　나는 직장이 아닌 직업이 갖고 싶다. 내가 나
를 사랑하고 내가 나의 직업을 사랑하고 싶다.
나에게 부끄럽고 싶지 않다. 아쉬움은 남더라도
후회는 남지 않는 시간을 나에게 주고 싶다. 그
래서 언젠가. 누군가가 또 나의 시간을 뭉개는
말을 흘려보낼 때. 힘껏 내칠 수 있는 사람이 되
고 싶다.

자랑스러운 나도 좋지만.
부끄럽지 않은 내가 되고 싶다.

말에는 힘이 있고.
글에는 더 큰 힘이 있다 믿는다.

나는 조끼를 입던 그때도.

앞치마를 두른 지금도.

어떤 모습이든 내가 만들어갈 앞으로도.

전혀 부끄럽지 않다.

ep7. 기록

어떤 형태이든. 어떤 방법이든. 기록은 기록으로서, 기록이기에 의미 있지 않을까. 저마다의 방법으로, 지나가는 찰나를 기록한다. 만약 기록되지 않았다면 그저 흩날려버렸을 가벼운 순간조차. 우리는 기록으로 조금의 무게를 얹어 마음속에 남겨둔다. 그리고 나에겐 '글'이 시간에 무게를 싣는 방법이다. 때로는 노란색 옥스퍼드 수첩을 꺼내어 볼펜으로 끄적이기도. 때로는 언제쯤 익숙해질까 싶은 은색의 맥북으로.

나에게 다가온 찰나를 기록한다.

불편하고 낡은 것을 좋아하는 나는. 오래된 필름 카메라로 눈에 담긴 모습을 기록한다. 글을 쓰는 것과 필름 카메라로 사진을 찍는 움직임은 어딘가 닮아있다. 글로 기록할 때는 수첩이든, 맥북이든 주섬주섬 글쓰기의 도구를 가방에서 꺼내 테이블 위에 올려놓는다. 그러고는 나에게 다가왔던 사람들. 내가 다가갔던 사람들. 귀로 들어온 말. 입으로 내뱉은 말. 마음을 지나간 낱말. 마음속에 여전히 자리한 낱말. 이런 생각. 저런 고민. 갖가지 것들을 한데 모아 손으로 쓰거나 손으로 두드린다. 잘 쓰이거나 잘 두드려지는 날은 천만다행이다. 도무지 아무것도 쓰이지 않을 때는 정말. 눈만 껌뻑이다 후 하고 깊고 짧은 한숨으로 그날의 기록을 마무리할 수밖에 없다.

오래된 필름 카메라의 기록은 테이프가 덕지덕지 붙은 카메라를 낡은 파우치에서 꺼내는 것부터 시작한다. 엉킨 줄을 풀러 남기고 싶은 장면과 순간을 찾는다. 서른여섯 번의 기회밖에 주어지지 않는 야박한 카메라이기에 신중하고 또 신중하다. 남기고 싶은 장면을 찾았다 싶다면. 삼. 이. 일. 숨을 참고. 셔터를 누른다. 잘 눌린다면 운이 좋은 날이다. 낡디낡은 이 친구는 셔터도 잘 눌리지 않아 이쪽저쪽을 꾹꾹 눌러야 겨우 한 장의 기록을 허락해주는 날이 대부분이다. 서른여섯 번. 허락된 기회를 모두 사용한 후에야 나의 순간들을 마주할 수 있게 된다. 그마저도 어설픈 실력이 덧입혀진 장면들은 삐뚤빼뚤하고 초점도 나가 있어 이게 무언가 싶다. 이토록 불편하고 복잡한 기록의 수단이 나의 오래된 필름 카메라다.

  글과 필름 사진. 필름 사진과 글. 자극적이고 직관적인 것들이 넘쳐나는 요즘. 어쩌면 가장 담백하고 슴슴한 수단이 아닐까. 한 입 먹으면 이게 무슨 맛인가 싶지만, 여러 번 먹다 보면 그 참맛을 알게 되는 평양냉면처럼. (먹어본 적은

없다. 뭔가 그럴 것 같은 느낌이다) 많은 사람이
자극적이고 직관적인 것을 찾고 원한다. 빠르고
선명한 것으로 순간을 기록한다. 간단하고 명료
하게. 편리하고 쉽게. 어쩌면 당연하다. 굳이 불
편한 것을 찾는 게 오히려 이상한 세상이다. 매
일이 바쁘고 고된 나날을 살아가는데 굳이. 정
말 굳이. 불편할 필요는 없다.

　그럼에도 불구하고. 나는 굳이 불편함을 찾는
다. 그리고 그것들로 나의 시간을 기록한다. 큰
이유는 없다. 흘러가는 시간을 흘러만 가게 두
고 싶지 않아서. 내가 살아온 시간을 앞으로 살
아갈 시간에도 곱씹어 보고 싶어서. 그럴듯한
이유를 생각해 보지만, 그런 이유는 그럴듯해
보이는 이유일 뿐이다. 재미있다. 글을 쓰고, 필
름 카메라로 사진을 찍는 과정이. 순간이. 재미
있다. 그래서 나는 불편함에도 불구하고 그 둘
과 오늘도 함께했다. 깔깔깔 웃는 재미만이 재
미가 아니니까. 때로는 어렵고, 힘들지만 그럼
에도 불구하고 재미있다.

찰나의 장면. 순간의 기억을 담아놓은 기록을 찬찬히 살펴본다. 그때의 감정. 그때의 생각. 그때의 시선이 고스란히 느껴진다. 느껴지는 모든 것들이 내일의 연료가 된다. 지친 오늘 돌아본 나의 어제가 내일의 힘이 된다. 그렇게 기록을 발판 삼아 오늘을. 내일을 살아낸다. 행복을 담아놓은 사진과 슬픔을 남겨놓은 글을 딛고 일어선 나의 오늘이다. 그리고 나의 오늘은 내일이면 어제가 되어 또다시 과거로 묻힐 것이다. 여느 날과 다름없이 흘러갈 것이다. 많은 것이 잊혀진 채. 그저 그렇게 말이다.

거룩한 함의나 교훈은 없다. 내가 나 답기 위해 남긴 나의 기록일 뿐이다. 누군가 나의 기록을 함께 보고, 함께 읽어준다면 조금은 민망하겠지만, 아마 조금 더 기쁠 것이다. 나아가 함께 생각을 나누고 고민을 나눈다면 아마도. 더욱더 기쁠 것이다. 크고 작은 기쁨을 쌓을 것이다. 언제 또 다가올지 모를 이 기쁨을 차곡히 쌓아 정리해 놓을 테다. 언제든 찾아볼 수 있게. 언제든 꺼내 쓸 수 있게.

　나의 이십 대는 어떻게 기록될까. 끊임없는 자기혐오의 흔적일까. 아니면 넘치는 자기 사랑의 모습일까. 그 둘 중 무엇이더라도 상관없다. 그 둘 중 하나가 아니더라도 상관없다. 다만 나에게 중요한 건. 나의 이십 대는 꽤나 빛났다는 것이다. 매 순간 끊임없이 반짝이진 않았지만, 해가 지면 자연히 켜지는 가로등처럼. 때에 알맞게 빛났다. 어두울 땐 한없이 어두웠고. 밝을 땐 끝이 어딘지 모를 정도로 밝았다. 그 둘이 한데 섞이고 모여 나의 이십 대를 이루었다. 빛도 어둠도 오롯이 하나만으론 존재할 수 없으니까. 그 둘이 함께라 다행이다 싶다.

지나간 어제와 지나가는 오늘을 기록하고,
지나갈 내일을 기대한다.

언젠가 뒤돌아보며
다행이다 싶은 마음이 들 수 있게.

지나고 보니
별것 아니구나 싶은 마음이 들 수 있게.

언제든 찾아볼 수 있게.
언제든 꺼내쓸 수 있게.

오늘도
흩날리는 가벼운 순간에
기록으로 조금의 무게를 얹어
마음속에 남겨둔다.

Hello my 30s

ep1. 시작

나의 이십 대를 반추한다. 곧 지나갈 나의 이십 대. 스무 살. 실패로 시작된 나의 스무 살. 마주한 현실을 외면하고자 했던 이십 대의 첫걸음. 그동안 쌓아온 모든 것들이 부정당하는 것만 같은 기분으로 스무 살을 시작했다. 나만 그런 건 아닐 거라 생각하면서도 왜 나는 노력의 결과가 이럴까. 수도 없이 되뇌고 또 되뇌던 나의 스무 살. 어느 때보다 빛나고 반짝거렸어야 할, 아직은 푸릇한 초록색보단 연한 연두색이 더 어울릴. 스무 살을 그렇게 보냈다.

스물하나. 그리고 스물둘. 외면했던 현실을 직면하고 현실 속에 풍덩 빠졌다. 꽤나 나쁘지 않은 현실. 왜 받아들이지 못했을까. 왜 받아들이지 않았을까. 지난 이십 대의 첫걸음을 아쉬워하지만. 두 번째 세 번째 디딘 걸음은 흔들리지 않았다. 홀로 위태롭게 걷는 길인 것처럼 보이지만, 알게 모르게 붙잡아주던 손길을 기억한다. 아마 나는 그들 덕분에 오늘을 살 수 있지 않을까. 그런 마음으로. 그들이 나를 떠나가지 않길 바라는 마음과 내가 그들을 떠나지 않길 바라는 마음이 한데 뒤엉킨다. 어쩌면 그들이 더 이상 그들이 아닐지도 몰라. 나도 그들과 함께 할 수 있을지도 몰라. 기대와 바람이 가득한 마음으로 보낸 시간이 흐릿해지는 게 아쉽다. 잊지 않고 기억해야 할 나의 그때.

스물셋. 그리고 스물넷. 단절을 통한 연대. 모든 것이 같은 곳에서 모든 것이 다른 나와 네가 모인 그곳. 어느 때보다도 어두운 밤에, 무엇보다도 반짝이는 마음과 눈으로 다가올 스물다섯을 꿈꾸었다. 무얼 할 수 있을까. 무얼 해야 할까. 무얼 잘할까. 무얼 좋아하는 걸까. 빈 수레가 요란하듯 아무것도 들어있지 않은 나의 수레는 매일 밤 요란했다. 진녹색의 빳빳한 옷을 입은 우리는 어쩌면 다가올 미래에 가득 채울 수레를 그곳에서 만들고 있었을지도 모른다. 빳빳한 옷에 기름이 묻고, 흙이 묻어도 개의치 않았던 시간과 함께했던 우리를 잊고 싶지 않다.

스물다섯. 스물여섯. 그리고 스물일곱. 빈 수레의 요란함이 조금은 잦아들 무렵. 익숙함을 벗어나 생경한 곳으로 가 나의 목소리에 귀 기울였다. 무얼 할 수 있을까. 무얼 해야 할까. 무얼 잘할까. 무얼 좋아하는 걸까. 확신보다는 믿음으로. 이미 훌쩍 다가온 미래를 흘러만 가게 두지 않았다. 새로운 장소. 새로운 사람. 새로운 일. 새로운 감정으로 매일을 살아갔다. 사랑. 행복. 성취. 도전 같은 밝은 단어 뒤에 감춘 증오.

배신. 실패. 고독을 애써 외면하며 그렇게 매일을 살아냈다.

   익숙함을 벗어낸다는 건 생각보다 어렵고 무섭다. 매일 드는 의심과 질문에 스스로 답해야만 한다. 대신 답해주는 사람은 아무도 없다. 답을 하면서도, 정답인지 오답인지 모르는 질문이 머릿속엔 가득하다. 하지만 오늘을 살아내지 않으면 내일을 살아갈 수 없기에. 버티고 또 버텼던 나의 그때.

   스물여덟. 그리고 스물아홉. 새로운 스무 살을 살아내는 듯한 오늘이다. 이제 막 세상에 내던져진, 갓 졸업한 학생처럼. 내가 알던 세상이 아닌, 새로운 세상을 마주한 사람처럼. 그렇게 오늘을 살아간다. 세상에 당연한 건 많지 않다는 믿음이 쌓여 만들어진 확신으로 살아간다. 따스한 웃음. 포근히 오가는 말들. 말없이 건네는 손은 당연하지 않다는 걸 확신하며 오늘을 살아간다.

아직 나의 수레는 요란하고, 셀 수 없는 질문과 의문이 가득하다. 스물아홉. 서른쯤 되면 뚝딱하고 사라질 것만 같던 고민과 생각은 되려 더 길어지고, 깊어진다. 잘 살고 있는 걸까. 이제 며칠. 아니, 몇 시간만 지나면 스물아홉이 아닌 서른으로 하루를 시작하게 된다. 진짜 어른일 것만 같았던 나이를 내가 갖게 되다니. 믿어지지 않지만, 믿을 수밖에 없는 현실을 이제 곧 마주한다.

스무 살의 나는 현실을 외면했지만, 서른 살의 나는 외면하고 싶지 않다. 실패로 시작했다 해서 끝까지 실패로 끝나는 것은 아니라는 걸 알았다. 아직은 요란하고 덜커덕거리는 수레지만, 텅 비어있지는 않기에. 어쩌면 다가올 내일엔 빈 수레 이곳저곳을 크고 작은 것들로 차곡히 채워볼 수 있지 않을까 하는 기대를 해본다.

지난 이십 대보다는 조금 더 과감하게 움직이고 싶다. 발돋움은 이만하면 되었으니, 이제는 달려볼 수 있지 않을까. 달리다 넘어지면 뭐 까짓거 상처 하나쯤 나겠지. 생각하면서 조금 속도를 내 보는 것도 좋지 않을까. 속도를 내다 지치면 조금 쉬어가면 되지 않을까. 쉬다 좋은 곳과 좋은 사람을 마주치면 그곳에서 그들과 함께하면 되지 않을까. 그러다 다시 힘을 얻어 달리면 되지 않을까. 그러다 보면. 언젠가 내가 가고 싶은 곳에 갈 수 있지 않을까. 그런 믿음으로 다가올 나의 내일을 그려본다.

사실 두렵다. 지금 내가 서 있는 이곳에서 주위를 둘러보면 나는 한참 뒤에 있다. 작고 소중해 만지면 바스러질 것만 같은 수입으로 매달빠듯이 살아간다. 번듯한 집이나 차는 꿈 꿔본 적도 없다. 정글 같은 서울 땅에서 머리 뉘어 잠 잘 수 있는 공간이 있다는 것만으로도 감지덕지인 오늘이다. 좋아하고 사랑하는 것을 일로 삼겠다 시작한 지난날의 나를 돌아보면, '조금 더 생각해보지 왜 그랬니'하고 묻고 싶다가도. 이내 입을 꾹 다물고 묵묵히 오늘을 살아간다. 다가을 내일이 불안하고 위태롭진 않을까 두렵다. 분명히 선명하고 또렷하게 그림을 그렸는데, 나도 모르게 떨어진 물방울 하나에 물감이 사방으로 번지듯 흐려지는 건 아닌가 두렵다.

그래서 끊임없이 질문한다. 잘 걸어가고 있는지. 알맞은 속도와 올곧은 방향으로 가고 있는지. 중간중간 적당한 쉼은 가졌는지. 옆을 볼 줄 아는 마음과 뒤를 볼 줄 아는 여유를 잊지는 않는지. 되묻고 또 되묻는다. 끊임없는 되물음의 끝이 어딘지는 모른다. 그래서 다행이다. 끝을 아는 여행은 시시하고 재미가 없다. 예상치 못한 상황을 마주해야 여행이다. 모든 걸 계획한 대로 할 수 있다면 여행이 아니다. 예상치 못한 날씨와 예상치 못한 숙소. 예상치 못한 음식과 예상치 못한 길. 알 수 없어서 더 재미있는 게 여행이다.

이제 막 여행을 위한 짐을 싸기 시작했다. 알 수 없어 두렵고, 알 수 없어 기대된다. 여행길에 나서기 전 짐을 꾸릴 때가 가장 설레는 법이다. 두려움이 잔뜩 묻은 설렘이지만, 외면하지 않으려 한다. 그리고 잊지 않으려 한다. 어디로 가게 되든, 누구와 함께 가게 되든. 여행의 시작은 언젠가 오기에. 그 시작을 준비한 나의 이십 대를 잊지 않으려 한다.

안녕, 나의 이십 대!
안녕, 나의 삼십 대!

아직 오이는 먹지 않아요

초판 1쇄 발행 2023년 4월 3일
초판 2쇄 발행 2023년 9월 9일

지은이 용진(@victor_yongjin)
편집 용진
디자인 용진
펴낸곳 어바아웃북스(@aboout_books)
출판등록 2020년 9월 23일
　　　　　제 2020-000042호
메일 abooutbooks@gmail.com
ISBN 979-11-972111-8-8 (03810)

© 2023 원용진, All rights reserved
이 책은 저작권법에 따라 보호를 받는 저작물이므로
무단 전재와 복제를 금합니다.